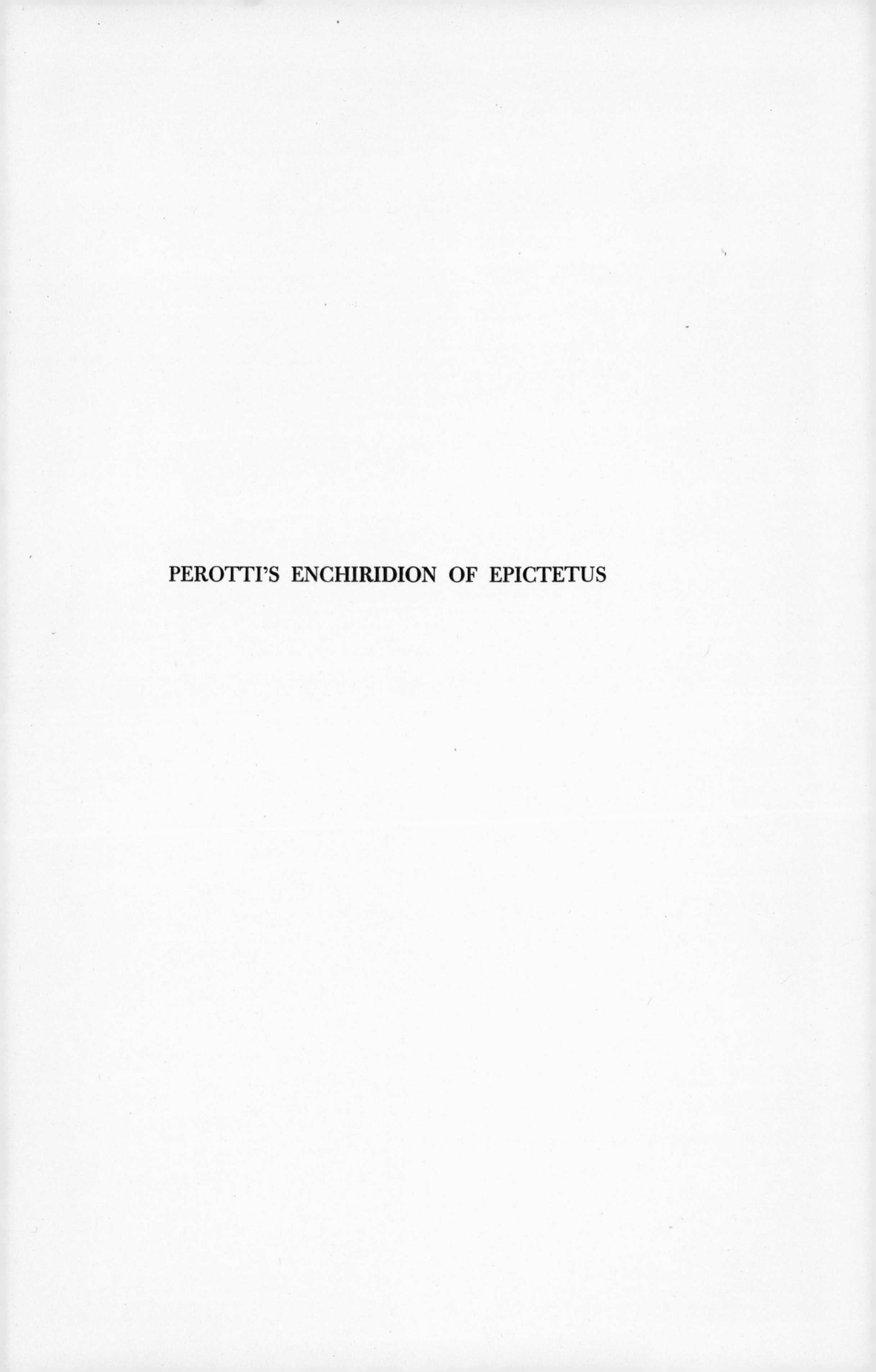

# PEROTTI'S ENCHIRIDION OF EPICTETUS

NICCOLO PEROTTI'S VERSION

OF

# The Enchiridion of Epictetus

*edited, with an introduction*
*and a list of Perotti's writings,*
*by*

REVILO PENDLETON OLIVER

UNIVERSITY OF ILLINOIS PRESS
URBANA, 1954

 LIBRARY OF CONGRESS CATALOG CARD NO. 53-6624

D. M.

GVILELMI ABBATIS OLDFATHER

S.

## PREFACE

The present work was produced, largely from materials earlier assembled, in 1944 at the request of the late Professor William A. Oldfather, who wished to include it in a volume of studies on Epictetus which he was then preparing for the press. Professor Oldfather's projects were terminated by his death in May, 1945, and the publication of this work was delayed. The work remains substantially in the form in which it was sent to Professor Oldfather, and I dare not hope that it bears no indication that it was written at a time when most of my waking hours and almost all of my energies were devoted to a task of some responsibility connected with the prosecution of the unhappy war then raging. I have, however, added to the introduction a few notes referring to materials which were published or became available since 1944, expanded the apparatus by including the lections of three manuscripts that were inaccessible during the years of belligerency, and deleted highly detailed palaeographic descriptions of the manuscripts collated in 1944. Finally, I have appended a list of Perotti's writings which will, I hope, be useful to anyone who may hereafter concern himself with the Humanists of the fifteenth century.

R.P.O.

10 April 1953

## CONTENTS

# INTRODUCTION

## I

Niccolò Perotti participated in the common fate of his generation —a destiny which consigned the *ἰφθίμους ψυχάς* of an army of Humanists to a realm of obscurity and oblivion where they are but wraith-like and bloodless forms dimly glimpsed in the darkness that fills the land of the forgotten. For it can be said—nay, must be conceded—that they are so forgotten that even the names of men who were accounted giants in their day are now often but hollow syllables, meaningless even to the ear of the learned. Among Perotti's contemporaries, Poggio is perhaps the least unknown, receiving a tenuous immortality from the *Facetiae* with which he beguiled his hours of leisure, or, for a more select audience, from his dialogue *De varietate fortunae*. Valla's denunciation of the forged Donation of Constantine likewise preserves his name, when his works, with the possible exception of the *De voluptate*, are seldom read. To these two a few lesser names may perhaps be added. The tiara of Aeneas Sylvius still gleams on the pages of history, and his too candid *Commentarii* are still occasionally opened. The *Hermaphroditus* of Panormita is known to those who find in Martial too few epigrams of cinaedographic charm. The vanity and polemic pugnaciousness of Filelfo lives in the portraits by Symonds and Nisard, but does not stir the dust from the epic which promised Homeric glory to his patrons.

In the general desuetude of the Humanistic literature of the fifteenth century, which makes the writers of that day seem to the modern eye a turbulent tribe of mediocrities, the name of Perotti is all but lost, so that a man may even be accounted a fair scholar of Renaissance Humanism and yet know nothing of the Bishop of Manfredonia, from whose grammar several generations once imbibed the rudiments of Latin syntax. The oblivion which has overtaken Perotti may chiefly be attributed to the fact that he was, more than most of his contemporaries, primarily a scholar; and it is the general fate of scholars to entomb themselves in the great and never completed edifice of erudition on which they, as their myriad predecessors, have labored. Perotti's great *Cornucopiae*, now an unexplored labyrinth of partly obsolete scholarship, was at once a commentary on the first book of Martial and a thesaurus of Latinity. The thousand closely printed folio pages of the commentary would be redoubtable even to those who were minded to seek an explanation of Martial in pages other than those of the latest and presumably most accurate commentator; and as a dictionary—will the names of Georges and Lewis and Short be known when the results of their labors are superseded by new, more exhaustive, and more conveniently arranged lexica? It would justly be thought fantastic to learn the rules of prosody from the fifteenth-century pedagogue who first attempted a rational and concise, but necessarily imperfect, summary of them *in usum tironum*. Who shall interest himself in conjectural emendations of the texts of Martial and Pliny made when the science of ecdotics was yet unborn? And translations—unless they are strongly defective, that is to say, so charged with the personality of a great author that they live in their own right—are necessarily ephemeral, enduring only so long as another translator, working from more perfect texts, exercising his ingenuity more strictly, or commanding a more fashionable idiom, does not produce a more accurate or attractive version. Thus Perotti's Polybius was eclipsed by Casaubon's, which was in turn superseded; and today, when several versions are to be had in almost any vernacular, Latin translations from the Greek are usually thought to be equally useless to those who can and to those who cannot read Greek.

In brief, Perotti, whose mind was not of a creative order [1] and who never expressed, if ever he felt, either Pontano's lyric response to beauty or Valla's ruthless joy in the deadly logic of his criticism, has shared the fate of the merely erudite. That his name is now known at all, save to those who have most intensively specialized in the philological history of fifteenth-century Italy, is the result of the intuition which led him to include in a collection of verses—with prescience that posterity would there find them—a few fables of Phaedrus which are found in no other manuscript now known to be extant.[2]

---

[1] Voigt's opinion (see note 18) that Perotti's works, if collected, would reveal in him a writer as fecund as Poggio or Valla seems to have been unduly optimistic; cf. the list of Perotti's writings appended to this volume.

[2] The "Appendix Perottinus," first published by Iannelli in 1809, is included in most of the recent editions of Phaedrus, e. g. those by Postgate, Oxonii, 1920; Bassi, Augustae Taurinorum, 1918; Brenot, Paris, 1924.

If, then, it should be asked why we have elected here to study one of the works of so obscure a man, whose writings admittedly form no indispensable part of the world's too luxuriant literary tradition, we may first of all observe that in recent years the new disciplines of *Kulturgeschichte* and historionomy (if we may employ the convenient neologism used by some writers to designate the comparative or morphological study of historical phenomena) have given great importance to the study of the Renaissance, and have evoked many hypothetical explanations of that permutation of men's minds.[3] Though they remain eclipsed from the realms of literature, the Humanists now begin to engage the attention of historians, and much diligent study of their lives and works (both major and minor) will be necessary before we can hope adequately to explain the cultural changes in which they participated and which they seemed to initiate.

Furthermore, if a new Hellenism was one of the major influences in Renaissance thought, it becomes important to study those intermediaries who, at a time when, as in our own, familiarity with Greek was the possession of scholars only, but not of all scholars,[4] transmitted by their translations the eternally fecund literature of Greece to the majority of their literate contemporaries. The literary quality of these translations, the accuracy or freedom with which they reproduce the originals, and the knowledge of Greek which they display must be determined both for the history of Renaissance Humanism and for the history of scholarship.[5]

---

[3] The Renaissance has become the *Hauptproblem* of modern history. For the origin and evolution of the concept, see Wallace K. Ferguson, *The Renaissance in Historical Thought*, Boston, 1948, and the penetrating critique of this book by Hans Baron, *Journal of the History of Ideas*, Vol. XI (1950), pp. 493-510. Of the large number of discussions of the Renaissance which have appeared since Ferguson's book, I here direct the reader's attention only to the two which seem to me most fundamental and sagacious: B. L. Ullman, "Renaissance—the Word and the Underlying Concept," *Studies in Philology*, Vol. XLIX (1952), pp. 105-18; Ernest H. Wilkins, "On the Nature and Extent of the Italian Renaissance," *Italica*, Vol. XXVII (1950), pp. 67-76.

[4] Some early scholars were, curiously enough, deliberately ignorant of Greek, if we may trust the tradition preserved by Juan Luis Vives in his *De conscribendis epistolis* (*Opera*, Basileae, 1555, Vol. I, p. 83): "Pomponius Laetus, Romanae puritatis adeo studiosus ut nec Graece quidem scire voluerit, ne quid alienum sonaret aut admisceret linguae illi Quiritium. . . ."

[5] Although general expressions of opinion concerning a given translator's proficiency are common, detailed studies of a translator's competence as evinced by his rendering of the whole of a substantial unit of text are rare. For an excellent example of a translation well edited with various typographical devices in the text and an apparatus to show the translator's departures from the Greek, see Dean Putnam Lockwood's edition of

Finally, we may add the not negligible consideration that studies of Renaissance Latin translations may enhance our knowledge of the Greek classics themselves. Valla's version of Thucydides, for example, has been found to preserve the valuable readings of the lost manuscript from which it was made,[6] and, although we should not too sanguinely hope to find such value in many Humanistic translations, it is always of some interest to know from what manuscripts and how carefully they were made.

We here present, as the basis for one such study, an edition of the hitherto unpublished text of an early Humanistic translation, the first known version of that classic of Stoicism, the *Enchiridion* of Epictetus. The text is accompanied by annotations intended to call attention to the principal mannerisms and procedures of the translator, and to indicate the probable readings and other characteristics of the Greek text from which he worked.

## II

If it were part of our present task to compose a biography of Niccolò Perotti,[7] we should have to begin by adapting to our purposes Mark Twain's well-known declaration that he possessed an

---

Leonardo Bruni's version of the first act of the *Plutus* of Aristophanes, *Classical Studies in Honor of John C. Rolfe*, Philadelphia, 1931, pp. 164-72. Users of this work, however, should note that (1) the attribution of the translation to Bruni may be regarded as certain, since Bruni's close friend, Giovanni Tortelli, in his *Commentaria de orthographia dictionum e Graecis tractarum*, s. v. 'prologus,' states that Bruni translated for him a part of the "prima comoedia" of Aristophanes, and quotes a passage of sufficient length to remove all possible doubt; (2) the translation is not in prose, as printed, but in verse—or rather, in what passed for good *senarii* in the fifteenth century; (3) the translator made some effort to render the original line for line, and this circumstance accounts for some of the tendency to paraphrase and even for some apparent errors, e. g. *volvens* (p. 166, apparatus 16), for which Tortelli's copy had *intorquens*, is probably mere filler to pad out the Latin line; and (4) in the first line, for Lockwood's *O ⟨Iuppiter⟩, O dei*, read, with Tortelli, *O* Ζεῦ *et dei*—the name having been left in Greek *metri gratia*.

[6] It has only recently been possible to appreciate the true value of Valla's translation, since all of the editors who used it in the past did not have a critical, or even reasonably accurate, text of it; see R. I. Wilfred Westgate, "The Text of Valla's Translation of Thucydides," *Transactions of the American Philological Association*, Vol. LXVII (1936), pp. 240-51.

[7] I here adopt the form of the name used by Mercati, author of the most important contribution to our subject. A purist might prefer the spelling "Perotto," which is used by Sabbadini in his brief article in the *Enciclopedia Italiana*, s. h. v. The Latin form, which, of course, is the one used by Perotti himself in his various writings, is Nicolaus Perottus. A few early letters seem to show the spelling "Peroctus." There is, of course, a certain inconsistency between the Latin *Perottus* and the Italian *Perotti*, but it would be pedantic to be unduly concerned by it, or to correct the Latin form to *Perrotius*, as does J. Paquier, *De Philippi Beroaldi junioris vita et scriptis*, Lutetiae Parisiorum, 1900, p. 4.

abundance of information, much of which was, unhappily, wrong; and we should then find it necessary to devote a rather extensive prolegomenon to a recapitulation and examination of the considerable errors that a multiplicity of causes has introduced into the pages of Pontico Virunio,[8] Vespasiano da Bisticci,[9] Francesco Prendilacqua,[10] Ughelli,[11] Jacobilli,[12] Oldoini,[13] Apostolo Zeno,[14] Fabricius,[15] Angiolgabriello di Santa Maria,[16] Moreni,[17] Voigt,[18] De Nolhac,[19] Hervieux,[20] Confalonieri,[21] Frati,[22] Simar,[23] Thiele,[24] Cessi,[25] Zaccagnini [26]—and perhaps others. It would also be necessary to examine two longer biographies of Perotti. One of these, which seems to be by far the more valuable, was composed in the seventeenth century by Torquato Perotti, Bishop of Amelia, but is yet unpublished,[27] while the other, the work of an anonymous Italian of the late seventeenth century, is printed in a volume of great rarity.[28] As a sure and sound basis for a new account of Perotti's life, we have, in addition to the brief notice by Remigio Sabbadini

[8] A brief biography written between 1500 and 1521 and published by Giovanni Mercati in his *Opere minori*, Vol. IV, Città del Vaticano, 1937, pp. 343-45.

[9] *Vite di uomini illustri del secolo XV*, Firenze, 1938, pp. 226 ff.

[10] *De vita Victorini Feltrensis*, Patavii, 1774, pp. 71 ff.

[11] *Italia sacra, sive de episcopis Italiae*, Romae, 1644-62, Vol. VII, col. 857 ff.

[12] *Bibliotheca Vmbriae*, Fulginiae, 1658, pp. 240 ff.

[13] *Athenaeum augustum in quo Perusinorum scripta publice exponuntur*, Perusiae, 1678, pp. 252 f.

[14] *Dissertazioni Vossiane*, Venezia, 1752-53, Vol. I, pp. 257 ff.

[15] *Bibliotheca Latina mediae et infimae aetatis*, Patavii, 1754, Vol. V, pp. 122 ff.

[16] *Biblioteca*, Vicenza, 1772-82, Vol. II, pp. CXIV ff.

[17] *Bibliografia storico-ragionata della Toscana*, Firenze, 1805, Vol. II, pp. 177 f.

[18] *Die Wiederbelebung des classischen Alterthums*, Berlin, 1881, Vol. II, pp. 137 ff.

[19] *La bibliothèque de Fulvio Orsini*, Paris, 1887, pp. 196 ff.

[20] *Les fabulistes latins*, Paris, 1893-99, Vol. I, pp. 106 ff.

[21] *Vita di Giorgio Merula*, Alessandria, 1894, pp. 292 ff.

[22] "Di Niccolò Perotti," *Giornale storico della letteratura italiana*, Vol. LIV (1909), pp. 389 ff.

[23] "Les manuscrits de Martial du Vatican," *Musée belge*, Vol. XIV (1910), pp. 194 ff.

[24] "Die Phädrus-Excerpte des Kardinals [*sic!*] Perotti," *Hermes*, Vol. XLVI (1911), pp. 633 ff.

[25] "Tra Niccolò Perotto e Poggio Bracciolini," *Giornale storico della letteratura italiana*, Vol. LIX (1912), pp. 312 ff.

[26] *Storia dello studio di Bologna*, Genève, 1930, pp. 116 ff.

[27] The only manuscript is Vat. Lat. 6526. I have no information concerning the length or contents of this biography, but it is to be assumed that the author, who manifestly took great pride in his ancestor (cf. Leonis Allatii *Apes Vrbanae*, Romae, 1633, pp. 246 f.) and had access to the Vatican Library and presumably to such family archives as may have survived, had an opportunity to be well informed. A few genealogical fantasies are, of course, to be expected and pardoned.

[28] M. Morici, *Nozze Severini-Morici*, Pistoia, 1896. I know of no copy on this continent.

in the *Enciclopedia Italiana*,[29] the judicious and learned study by Cardinal Mercati, who modestly professes to have done no more than collect and publish materials for a biography, but has in fact given us by far the fullest and most accurate account of Perotti now available, although he has formally restricted himself to certain aspects of Perotti's activities and specified periods of his life.[30] On the basis of this work, to which it would be necessary to add some materials to which Mercati did not have access,[31] a new biography of Perotti could be written after a careful examination had been made of not only the extant letters and other works of Perotti himself but also the voluminous correspondence (much of which is yet unpublished) of his numerous friends and enemies.[32]

Since a biography forms no part of our present task, we need do no more than provide here the briefest summary of the known facts.

Niccolò Perotti was born at Fano towards the end of 1429 [33]—and, like many of his contemporaries in that age of small city-states and frequent political convulsions, away from home. It is not entirely clear whether Perotti's father was at that time in temporary exile, or had remained at home in Sassoferrato and sent his wife to spend the time of her pregnancy in a place of comparative security. The circumstance that Perotti was not born at home and the variation between classical and mediaeval place names account in part for the variety of gentiles by which he was known to his contemporaries and later Humanists: he is styled *Fanensis* and (rarely) *Fanestris* from the place of his birth; *Saxoferratensis* and, more correctly and

---

[29] *S. v.* "Perotto, Niccolò." Of Sabbadini's other contributions, we should particularly mention articles in the *Giornale storico della letteratura italiana*, Vol. L (1907), pp. 52 ff.; Vol. LXXXVII (1926), pp. 370 ff. In the *Enciclopedia* Sabbadini cites one of his own works, "*Saggi e testi umanistici*, Milano, 1933." He must have intended to refer to his *Classici e umanisti*, Firenze, 1933, in which, apropos of a manuscript of Martial in the Ambrosian Library, he publishes one of Perotti's letters and discusses the latter's acrimonious controversy with Domenico Calderini.

[30] Giovanni Mercati, *Per la cronologia della vita e degli scritti di Niccolò Perotti*, Roma, 1925. A supplemental pamphlet entitled "Paralipomeni Perottini" is bound with some copies of this work.

[31] *Ibid.*, p. 57. A search for additional documentary evidence would, of course, be in order, particularly with reference to Perotti's residence in Rome during the period of his rivalry with Calderini.

[32] It is disappointing to see that the correspondence of Bessarion and Theodore Gaza recently published by L. Mohler, *Aus Bessarions Gelehrtenkreis*, Paderborn, 1942, contains nothing that would add to our knowledge of Perotti's life and personality.

[33] According to the calculations of Mercati (*op. cit.*, pp. 16-25), based on various not entirely concordant declarations made by Niccolò, "la nascita del Perotti sarebbe avvenuta negli ultimi cento giorni del 1429, insomma poco dopo il settembre."

in accord with his own wishes, *Sentinas* from the city to which his family was native and which he regarded as his true *patria* and *oppidum natale*; *Sipontinus* and (rarely) *Manfredonianus* from the episcopal dignity to which he attained in later life; and possibly *Viterbiensis* and *Perusinus* from honorary citizenships that were later bestowed upon him.

Niccolò was the scion of a propertied family of Guelphic sympathies which seems to have played a part of considerable importance in the political feuds which made Sassoferrato, like most of the other towns of Italy, the scene of periodic revolution and counter-revolution during the turbulent fourteenth and fifteenth centuries; the family, however, appears to have been no more than gentle until 1460,[34] when the Emperor Frederick III, doubtless at the request of Cardinal Bessarion, who was Niccolò's friend and patron, made the family's estate of Insula Centipera a county and granted the comital title in perpetuity to Francesco Perotti, the father of Niccolò, and his heirs.[35]

If we may trust the uncorroborated declaration of Niccolò, his father was at least a lover of literature, who early stimulated the intellectual propensities of his son, and presumably sent him to Mantua in 1443 to profit from the lessons of the then-renowned Vittorino da Feltre, who was at that time nearing the end of his career. That Perotti manifested both talent and zeal in his work under a man who was probably the greatest teacher of his time, we may well believe; we are, indeed, assured that two years of study sufficed to make him " doctissimus ac clarissimus," [36] but eulogistic hyperbole came easily to an Italian pen. Either late in 1445, when

[34] The Lateran title bestowed on Niccolò's father by Nicholas V in 1449 was not, properly speaking, a patent of nobility.

[35] After the death of Niccolò, who, if we may trust his own description of his villa, " Curifugia," in his *Cornucopiae* (col. 731, 24 in the edition published at Venice in 1517), certainly ended his days in affluence and even luxury, and who left his property to a favorite nephew, the family seems to have become rather suddenly and mysteriously impoverished, and never to have enjoyed sufficient prosperity to justify assertion of its nobility. The imperial patent was finally sold to a collector of curios!

[36] Francisci Prendilaquae Mantuani *De vita Victorini Feltrensis*, Patavii, 1774, p. 72: " Adolescentulum sese Victorino tradens tanta ingenii celeritate usus est, ut iam altero fere anno doctissimus ac clarissimus evaderet." The following sentence (" Graecas literas, Graecos mores, Graecum genus amavit, neque minus a Graecis honoratus vixit ") obviously applies to a later part of Perotti's life. The less encomiastic statement of Bartholomaeus Facius in his *De viris illustribus* (recensuit Laurentius Mehus, Florentiae, 1745, p. 14) commands greater credence: " Nicolaum Perottum Fanensem Victorino merito subiunxerim: fuit enim eius auditor, et vel unus ex iis, qui apud illum iudicio omnium magis profecerit."

Vittorino was incapacitated by his last illness, or after Vittorino died in February, 1446, Perotti, doubtless attracted by the fame of another celebrated apostle of Humanism, Guarino of Verona, went to Ferrara, where he soon took up residence in the house of a young English nobleman, William Gray, who had been appointed ambassador to the Vatican and later became the Bishop of Ely. Perotti's stay with his friend and protector was of no long duration; late in 1446 or early in 1447 he accompanied Gray to Rome and there, manifesting a desire to perfect his probably quite rudimentary knowledge of Greek,[37] he entered the service of Cardinal Bessarion, thus beginning an intimacy and amity which endured more than a quarter of a century and was terminated only by the death of the older man. In Rome between 1447 and 1449 he made the acquaintance of Valla, whose lectures he attended, and of Giovanni Tortelli,[38] a papal secretary to whose influence, as well as to that of Bessarion, he seems to have been indebted for the favors and honors granted to him and his family by the Pope.

During the enlightened pontificate of Nicholas V, there was no surer road to honors open to a learned young man of less than noble origin than scholarship; and Tortelli seems to have encouraged

---

[37] I see no reason for not accepting as a correct account of this sequence of events the passage quoted from a Vatican manuscript by Aloysius Bandinius in his *De vita et rebus gestis Bessarionis Cardinalis Nicaeni commentarius*, Romae, 1777, pp. 156 ff.: "Messer Nicholò Perotto . . . venendo a Roma con Messer Gulielmo Graim Procuradore allora del Re d'Inghilterra, desiderando questo Messer Nicholò imparar bene lettere greche . . . in casa sua [*sc.* del Cardinale] si fe dottissimo; & il Cardinale li fe di poi avere questo Vescovado [Sipontino] . . . in modo che oltre alla dottrina imparò a casa sua, & le dignità ebe mediante lui, fece avere a' suoi tanti Uffici, che gli fe richi, & fece fare il padre cavaliere."

[38] Tortelli, to whom Valla dedicated his *Libri Elegantiarum*, was best known for a somewhat ponderous lexicographic work dedicated to Nicholas V, *Commentaria grammatica de orthographia dictionum e Graecis tractarum*. It was frequently printed during the fifteenth and sixteenth centuries, and even Paolo Giovio (*Elogia*, Basileae, 1577, p. 196) pronounced it a *nobile aeternumque volumen*. Tortelli was the principal assistant of Nicholas V in the formation of the original Vatican Library and the execution of a great plan of literary patronage which was designed to make Rome the intellectual, as well as the religious, capital of the world by effecting a complete identification of Humanism and the new culture with the Church—a plan which, had it not been suddenly terminated by the death of Nicholas and the accession of the first Borgia, might radically have altered the religious and cultural, and hence the political, history of Europe. Perotti was indeed fortunate in having been born at just the right time to benefit from the sagacious and far-seeing policies of the greatest of the Popes of the Renaissance; had he been born five years later, his life might well have been one of complete obscurity and scholarly frustration. For further information about Tortelli, see an essay in the second volume of the *Studies Presented to David Moore Robinson on his Seventieth Birthday*, St. Louis, Mo., 1953, pp. 1257-71, and references therein cited.

Niccolò to translate into Latin some shorter Greek works and submit them to the Pope as examples of his industry. Perotti accordingly translated and submitted in 1449 a homily *De invidia* by St. Basil and one of Plutarch's moral essays on a similar subject,[39] thus beginning a series of translations which occupied him until 1454, when he brought to completion a translation of the first five books of Polybius. In the following year Perotti, presumably reaping the reward of his labors [40] despite the opposition of Poggio, with whom he, as an admirer of Valla, had been involved in a bitter polemic, became an apostolic secretary. He served as envoy to the court of Naples in 1456, the year in which he became an ecclesiastic. Two years after taking orders, he was Archbishop of Siponto.

Neither the apostolical dignity nor the fact that he had distinctly not been the victor in his exchange of invectives with so redoubtable a master of contumely as Poggio abated Perotti's polemical proclivities. In 1470 he launched a furious diatribe against another papal secretary, George of Trebizond, who seems primarily to have been guilty of inadequate appreciation of Plato;[41] and some

---

[39] Cf. Perotti's *prooemium* to his translation of Plutarch's *De invidia et odio*: "Haec tibi, Summe Pontifex, veluti primitias quasdam et quasi libamenta meorum studiorum obtuli." The two prefaces were edited by Wilmanns and Bertalot, *Archivum Romanicum*, Vol. VII (1923), pp. 506 ff.; the errors in transcription are corrected by Mercati, *op. cit.*, p. 35, n. 1.

[40] In addition to various benefits bestowed on his father, Perotti had already received from Nicholas V a cash reward for the translation of Polybius. This gift he acknowledged in five couplets which were published by Mercati, *op. cit.*, p. 37, and may here be cited (with Mercati's emendation of the otherwise unintelligible sixth line) as a specimen of his somewhat pedestrian verse:

AD FAVSTINVM DE QVINGENTIS AVREIS SIBI A PONTIFICE MAXIMO DONATIS.

Quinque ego Pontifici dederam, Faustine, libellos
  versos Romanam nuper in historiam:
hic bis terque dedit nobis numismata centum
  aurea, de sancto munera prompta sinu,
ornavitque domum titulis fratresque patremque,
  quamque mihi tribuit fama perennis erit.
Tu dic si qua queat nunc tantis digna referri
  gratia pro meritis muneribusque piis;
nam post officium, post vota animumque fidelem,
  nescio quod munus pauperis esse queat.

The reward, it should be noted, was the more honorable in that it was equal in amount to that given to Valla for his famous translation of Thucydides (see Dominici Georgii *Vita Nicolai Quinti*, Romae, 1742, p. 185).

[41] This seems to have been the origin of the quarrel, although among the "deliramenta" of his opponent Perotti attacks, with a political animus that is quite understandable in Bessarion's friend, George's praise of the Turks, which was, of course, intended

three years later he was involved in a long and bitter battle with Domenico Calderini, whose supposed errors in the emendation and elucidation of the text of Martial brought on his head two volumes of epistolary abuse now lost.[42]

In the autumn of 1468 Perotti completed what was undoubtedly his most popular work, the *Rudimenta grammatices*, which, as Voigt observes, " muss als erste Schulgrammatik der neueren Zeit gelten." [43] This work, which seems to have been first reproduced by the " novum scribendi genus e Germania nuper ad nos delatum " [44] at Rome in 1473, the same year in which his editions of Martial and of Pliny's *Historia naturalis* were printed, passed through at least fifty editions in the next ten years and had not lost its popularity

---

to be derogation of the Byzantines. The vehemence of fifteenth-century polemics is always shocking to modern taste, which finds it a little difficult to understand an age in which men felt deeply on literary and historical questions and had not been schooled to dissimulate their vanity. Perhaps the modern reader, particularly if he be a denizen of the stridulous groves of Academe, will find instructive a brief excerpt from the ninety-sixth and concluding chapter of Perotti's *Refutatio*, which may be taken both as a specimen of his eloquence and as a suggestion for the condign treatment of scholarly incompetence: " Exsurgite igitur, exsurgite pontifices, exsurgite Caesares, exsurgite reges et principes, vos populi omnes et universae nationes exsurgite, simul cum viris mulieres, cum senibus pueri, cum liberis servi, cum civibus civitates, exsurgite, inquam, omnes et hunc sceleratissimum hominem, hanc truculentissimam feram, hoc immanissimum monstrum non ex Vrbe abigite, non ex Italia exterminate, non ultra Sauromatas, ut poëta inquit, et glacialem oceanum relegate, sed caedendum flagris et usque ad ossa dilaniandum, discerpendum, dilacerandum tradite. Post haec pleno theatro pice, bitumine, sulfure, fumo, fulgure, flamma exstinguite, et postquam contaminatissimum illum spiritum et foedissimam animam emiserit, non sepelite, non in equuleum insuite, non devorandum feris atque volucribus telluri inhumatum relinquite, sed in loco edito atque percelebri in altissima cruce pedibus suspendite, ut longissimo tempore videri ac conspui ab omnibus praetereuntibus possit et lapidibus, fustibus, sordibus, luto, caeno, sterquilinio foedari."

[42] In the preface to the *Cornucopiae*, which he somewhat disingenuously wrote under his nephew's name so that he might speak of himself and his work more freely, Perotti cannot refrain from alluding to Calderini, whom he does not deign to name but merely describes as a *vilissimus paedagogulus*, and to the latter's many fatuous errors " quorum bonam partem patruus meus [*sc.* Nicolaus ipse] duobus epistolarum, Romanarum scilicet ac Perusinarum, praeclaris voluminibus ostendit." Perotti's secretary, Maturanzio, in an oration published by Vermiglioli, *Memorie di Jacopo Antiquarj*, Perugia, 1813, pp. 303 ff., lauds his patron by referring to his various literary accomplishments, among which " Vidimus . . . quas Romanas et quas Perusinas vocas epistolas, quibus ineptissimi et levissimi hominis . . . pueriles iure optimo insectaris errores vel detegis potius." Both of these collections seem to have perished, although Mercati (*op. cit.*, p. 103, n. 1) finds some grounds for believing that a manuscript of one or both was extant in 1501. It is probable that Perotti's letter to Pomponius Laetus, edited by Remigio Sabbadini in *Studî italiani di filologia classica*, Vol. XI (1903), pp. 337 ff. and in *Classici e umanisti*, Firenze, 1933, pp. 59 ff., formed a part of the first collection.

[43] *Die Wiederbelebung des classischen Alterthums*, 3. Auflage, Berlin, 1893, Vol. II, p. 377.

[44] The phrase is taken from Perotti's *Epistola de Plinii Secundi prooemio*, also written and possibly printed in 1473; it is reprinted in most of the editions of the *Cornucopiae*.

a century later.[45] After producing a biography of Bessarion, of which it appears no copy has survived,[46] a translation of the pseudo-Aristotelian essay *De virtutibus et vitiis*,[47] and various minor works, Perotti seems to have turned his attention almost exclusively to the compilation of his *magnum opus*, a commentary on Martial which is also a *monstrum biforme* of Humanistic erudition, since it attempts to incorporate a complete Latin dictionary by defining and discriminating synonyms, antonyms, and derivatives of words used in, or suggested by, the text of Martial and illustrating the meanings with quotations drawn from a wide range of Latin literature. Some of the quotations, incidentally, seem to have been taken from grammatical works or *florilegia* no longer extant, and Perotti may in this way have preserved a very considerable number of fragments otherwise unknown.[48] The first part of the *Cornucopiae seu Latinae*

[45] See the bibliography of Perotti's works appended to this volume. It may be noted in passing that editions of school books are particularly apt to disappear and leave no trace of their existence. Professor T. W. Baldwin (*William Shakspere's Small Latine & Lesse Greeke*, Vol. I, Urbana, Illinois, 1944, p. 79, n. 12) has two leaves from an unidentified English printing of Perotti's grammar made early in the sixteenth century. This, presumably, is different from the edition published by Wynkyn de Worde in 1521. Other editions of the *Rudimenta grammatices* may have vanished completely. I have principally used the edition printed at Paris in 1488 (= Hain 12679) under the title *Grammatica peroti* (*sic*); it has a prefatory letter in which Calphurnius Brixiensis declares, f. 1$^v$: "Is enim libellus huius generis est, ut non modo iis qui circa prima elementa adhuc immorantur, sed ad altiora quoque tendentibus prodesse possit."

[46] In 1472 Perotti translated three *monodiae* by Aristides, Libanius, and Bessarion, adding a composition of his own, and thus introducing, as he believed, a new and important literary *genre* into Latin; in his preface (edited by Mercati, *op. cit.*, pp. 151 ff.), fulsome praise of the Cardinal leads to the following prolepsis: "Sed quid ista, inquies, breviter et quasi carptim de Bessarionis laudibus in praesentia retulisti, cuius res gestas et vitam paene omnem te scio satis magno volumine satis esse complexum?" Bandini in his own biography of Bessarion, *op. cit.*, pp. 96 f., says: "Praeterea Nicolaus Perottus Sipontinus Antistes amplum et ipse de Nicaeni gestis ac moribus commentarium elucubravit, quod in primis dolendum est, vel penitus intercidisse, vel aliquo in angulo ignotum delitescere." No manuscript of this work was known to Mercati, *op. cit.*, p. 72.

[47] Edited by Laurentius Abstemius in a booklet of which the only extant copy, so far as I know, is the one which recently came into the possession of the Biblioteca Nazionale Centrale of Florence: NICOLAI.PEROTTI.PONTIFI- | CIS.SIPONTINI.PROOEMIVM | IN.ARISTOTELEM. DE MORI | BVS, *etc.* Colophon: IMPRESSA.FANI.XV.KL.SEP- | TEMBRIS.M.D.IIII.

[48] One fragment of Petronius preserved only in the *Cornucopiae* is accepted as genuine by Bücheler and Ernout in their editions of that author; on this fragment, see R. Sabbadini, *Studî italiani di filologia classica*, Vol. V (1897), pp. 389 f., who seems quite unaware of the very large number of "fragments" of other authors to be found in this work, a few of which have come down to recent critical editions, in which they are often cited on the authority of scholars who must have derived them from Perotti, frequently, no doubt, through the intermediacy of the various lexicographers who pillaged Perotti's work to adorn their own. I have therefore undertaken a systematic examination of all the quotations in the *Cornucopiae*, the first results of which may be found in my article, "'New Fragments' of Latin Authors in Perotti's *Cornucopiae*," *Transactions of the*

*linguae commentarii,* which was completed in July, 1478, although it was not printed before Perotti died,[49] was approximately half of the whole;[50] he did not live to complete the second part, of which, it seems, no fragment or trace has survived.[51] The completed part, although a ponderous tome in itself and an ambitious undertaking for any publisher, appeared in at least twenty-four editions in the

---

*American Philological Association,* Vol. LXXVIII (1947), pp. 376-424. (In the section of the appendix dealing with Ennius, p. 412, the reader is earnestly requested to expunge ¶ 1, since this entry depends entirely on my failure to recognize *Aen.* XII, 403, and on the inexplicable circumstance that the error was not detected at any stage of the routine verification.) A second, and perhaps final, installment of this work will be ready for publication in the near future, and will contain further discussion of the provenience of the quotations in Perotti that are otherwise unattested. At least one of the sources now lost was known to Giovanni Tortelli and used by him before 1449—a circumstance which not only confirms Perotti's good faith, but also virtually precludes the possibility of intervention by Giovanni Nanni (cf. pp. 387-89 of the article cited above), who was then only seventeen. Our real problem, of course, arises from the complete disappearance of almost all the books that were in Perotti's library at "Curifugia," which must have been extensive and well stocked, as may be inferred not only from the erudition shown in the *Cornucopiae* and other late works, but also from the consideration that a man whose primary interest was scholarship and who could afford the extensive plantations and the large artificial lake (complete with *naves*) that adorned his villa, would not have been niggardly in his purchase of books. Perhaps a clue to the fate of Perotti's library may be elicited from the recent study by A. Guaglianone, "Il *codex Perottinus,*" *Giornale italiano di filologia,* Vol. I (1948), pp. 125-38, 243-49, in which it is shown that the Neapolitan manuscript of the *Epitome fabellarum* (in Perotti's own hand) was the "notebook" in which he entered the verses as he formed the collection, and was never completed by him. This makes it extremely probable that this manuscript was a part of Perotti's library in "Curifugia" at the time of his death. It is now in large part illegible, having been ruined, as Guaglianone also shows, by having been exposed to a heavy rain or other downpour of water while it stood in the position that it would normally occupy on library shelves between other books. This suggests some kind of general destruction by disaster or criminal negligence in which the extant volume may have been one of the least damaged; other books, including Perotti's unique manuscript of Phaedrus, an Avianus in early Carolingian minuscule (Guaglianone, *op. cit.,* p. 244), Perotti's own copies of most of his own works, and possibly a unique manuscript of Nonius (cf. Oliver, *op. cit.,* pp. 404 f., 408 f.), were totally ruined.

[49] For the date of completion, see Mercati, *op. cit.,* p. 120. The "very rare" first edition of 1479 seems to be a bibliographic myth; *ibid.,* p. 126, n. 2. This, in turn, is partly responsible for the myth that Perotti's nephew and heir, Pirro, exerted himself to procure publication of his distinguished uncle's works, which reappears even in the article by Guaglianone cited above. Exactly the opposite is implied by the prefatory material to the edition of 1489, which seems to have been the result of the Pope's initiative. All the evidence known to me suggests both that Pirro's intellectual capacities were the product of avuncular illusion, and that his activities after his uncle's death were limited to vigorous spending of the inheritance.

[50] Cf. Perotti's postscript, which is probably reproduced in all editions of the *Cornucopiae*: "Habes, Federice Princeps, interpretationem primi libri [*sc.* Martialis], quod est universi operis et totius fere Latinae linguae dimidium. Tot enim ac tanta et tam varia hoc uno libro explicata sunt, ut aliquanto minus sit id omne quod superest."

[51] Lodovicus Odaxius in his preface to the *editio princeps,* Venetiis, 1489, says: "alteram vero partem, cui proprie continuis vigiliis et lucubrationibus insistebat, ut

fifty years that followed its first publication.[52] This is no small tribute to the merits of a work which is not easy of consultation (for the arrangement of a dictionary in the form of a commentary on Martial was perhaps the most unhappy idea ever conceived in the history of lexicography) and which almost immediately became the unmentioned quarry from which other lexicographers cut much of the material for their own more conveniently arranged edifices. The *disiecta membra Perotti,* which can frequently be identified by the substantiating quotations for which he is the only authority, can be found on almost any page of any Latin lexicon before the time of Forcellini.

It is only appropriate, perhaps, that this monument of his industry likewise provides or confirms most of the information that we have concerning Perotti's character and temperament. The multifarious learning and diligence which it so abundantly displays assure us that Raphaël Volaterranus could not have been guilty of much exaggeration when in his *Anthropologia* he described Perotti as " diligentissimus vocabulorum perscrutator: si quod undecunque incognitum audiisset, neque dormitare, neque rerum aliquid gerere solebat, priusquam id investigasset." [53] Perotti's infrequent but complacent references to himself and his family are consonant with the impression which we derive from his verses of a somewhat vain assurance that he was numbered among the world's immortals.[54] And since we may be sure that Perotti imposed on himself no such limitation of personal expression as a modern scholar would feel to be implicit in the very nature of the undertaking, we may also find in

compertum habeo, morte praeventus absolvere non potuit." What happened to Perotti's manuscript and notes is not known.

[52] See the list of Perotti's works appended to this volume.

[53] *Commentariorum Vrbanorum* octo et triginta libri, Basileae, 1559, pp. 491 f.

[54] Such vanity was, of course, characteristic of the early Humanists, rather than peculiar to Perotti, but occasionally he ineptly permitted it to become painfully conspicuous, e. g. in the following composition which is quoted in its entirety from the *Epitome fabellarum* (ed. Iannelli, p. 257):

EPITAPHIVM SCYLLI CATVLI

Est natale solum nobis Florentia, nomen
Scyllus; sarcophagum maxima Roma dedit.
Quinque mihi vitae finem nova lustra tulerunt,
attamen aeternus carmine vatis ero.

Again, in the *prologus* to the collection (*ibid.*, p. 2) Perotti, speaking of his own verses which he had introduced into the *Epitome*, remarks:

Hos si leges laetabor, sin autem minus,
habebunt certe quo se oblectent posteri.

the *Cornucopiae* negative evidence for the lack of genetic imagination and poetic sensitivity that is so conspicuous in his verses. In him the dry, clear light of erudition displaced the warmth of human feeling and, aside from the somewhat factitious vehemence of polemics, he displays no passion; in an age in which for the learned religion was often a matter of formal assent rather than faith,[55] his attitude seems to have been fundamentally one of indifference; and it is no accident that none of his letters or other works gives us a hint of a complex, emotional, and intensely human personality such as is displayed so clearly in the correspondence of Poggio.[56] Felicity for him was doubtless the quietude which in the *Cornucopiae* he describes himself as enjoying: a comfortable retirement in the country with ample leisure so that "studiis nostris, quae vita nobis iucundiora sunt, et confluentium ad nos amicorum dulcissima consuetudine perfruamur." [57] If one of our contemporaries, who are apt to insist on a dichotomy between books and reality, should insist on taking literally the comparison *vitā iucundiora* in Perotti's words, he might not err.

Perotti's politico-ecclesiastic career seems to have been directed towards assuring himself a competence rather than the satisfaction of ambition. He thrice held papal governorships: in Viterbo from 1464 to 1469; in Spoleto from 1471 to 1472; in Perugia from 1474 to 1477. All of these offices seem to have terminated in political dissatisfaction in the territories governed, but despite the charges made by his enemies, it need not necessarily be assumed that Perotti was at fault. Theognis did no more than formulate an axiom of political science when he remarked how rarely is found a populace

---

[55] Some modern scholars find in every reference to the Deity or act of conformity evidence of profound Catholic (or anticipatorily Protestant!) faith, but such evidence must be used with extreme caution when dealing with men who, whatever their opinions, recognized the *utility* of the Church.

[56] It is indeed unfortunate that a series of accidents conjoined with the almost scandalous apathy of the Italian literary public in the mid-nineteenth century should have made the only edition of Poggio's letters a bibliographic curiosity of which, I am told, there is not a single copy in North America: Poggii *Epistolae*; editas collegit et emendavit, plerasque ex codd. mss. eruit, ordine chronologico disposuit, notisque illustravit Equ. Thomas de Tonellis, JC., Florentiae, Vol. I, 1832; Vol. II, 1859; Vol. III, 1861. I have used the rotographs in the library of the University of Chicago. Even in terms of what is vulgarly called "human interest," Poggio's letters are one of the great monuments of Renaissance literature.

[57] *Cornucopiae*, Basileae, 1526, col. 732, 14 sqq.—It is, perhaps, unnecessary to remark that the brief appreciation of Perotti's character in the foregoing paragraph is my own and is not presented as one of the established facts of his life here summarized.

that loves its master. But if Perotti did practice some extortion, he had ample precedent—and perhaps the end justified the means.

The closing years of his life were spent in somewhat luxurious retirement in the villa which he had built near Sassoferrato and named Curifugia; here he died on the fourteenth of December, 1480.[58]

## III

Perotti's ability as a translator from the Greek has been quite variously estimated. Of the translations which he is known to have completed,[59] only one was a work of considerable magnitude, the first five books of Polybius. This was the only translation which was printed during his lifetime or attained a wide circulation, but it passed through at least fourteen editions [60] and remained the standard translation until Casaubon prepared a new version in 1609. Perotti's ability, it would seem, has therefore been judged exclusively on the basis of this one performance. His contemporaries undoubtedly regarded it with high admiration; according to Vespasiano da Bisticci,[61] Polybius had been translated "tanto degnamente e con tanta eleganza, che fu tenuta cosa mirabile da tutti che lo vidono." An even higher compliment is recorded by Paolo Giovio, who assures us that when Perotti's translation appeared "non defuêre tamen ex aemulis, qui eius auctoris traductionem antiquissimam fuisse, furtoque surreptam existimarint, quòd Thucydidem, Diodorum, Plutarchum & Appianum, clarissimo ingeniorum certamine conversos, unus Polybius egregia fide Latinus, aequabili & praedulci Romani

---

[58] It is difficult to judge how much credence should be given to the confident assertion of Pontico Virunio (see note 8) that Perotti's death was caused by poison administered by Gualdrada, the wife of his favorite nephew and heir. The details given by Virunio are improbable, even incredible, but the story may contain a germ of truth.

[59] These are listed in the next paragraph.

[60] See the *elenchus* of Perotti's writings at the end of this volume.

[61] *Op. cit.*, pp. 227 f. We should note, incidentally, that Perotti's work certainly delighted the reader whom he was most interested in pleasing; the Pope, in a letter published in the *Vita Nicolai Quinti* cited above, wrote in terms of highest praise: "in ea translatione nobis cumulatissime satisfacis. Tanta enim facilitate et eloquentia transfers ut Historia ipsa nunquam Graeca sed prorsus Latina semper fuisse videatur. Optimum igitur ingenium tuum valde commendamus atque probamus, teque hortamur ut velis . . . opus incohatum perficere. . . . Et rem ingenio et doctrina tua dignam et nobis omnium gratissimam efficies, qui laborum et studiorum tuorum . . . memores erimus. . . . Te et tuos omnes, quantum in nobis erit, semper habebimus commendatos. Tu vero, si nobis rem gratam efficere cupis, nihil negligentiae committas in hoc opere traducendo. Nihil enim nobis gratius efficere poteris," etc.

sermonis puritate prorsus antecedat." [62] The implication that Perotti was superior to Valla and Poggio is particularly noteworthy. Marco Antonio Sabellico in his *Dialogus de Latinae linguae reparatione* [63] declares that "nihil ipsius [*sc.* Perotti] Polybio candidius," and a much later writer, the learned editor of the *Anecdota litteraria*,[64] assures us that this version "è degna del secol d'oro." But in Huet's dialogue *De claris interpretibus* [65] we find repeated with approval the opinion of Casaubon that "Perottum . . . a fidelis interpretis absolutione tantum abesse, quantum qui longissime; tam levi quoque Graecae linguae cognitione fuisse imbutum, ut vix in eius cortina videatur adstitisse." We might here add a dozen additional quotations alternately praising and damning Perotti's work as a translator; we shall, however, conclude with the comment of Fabricius,[66] "Perotti versio valde liberalis est. Montfaucon tamen praetulit Perotti interpretationem Casaubonianae." With such diversity of critical opinion, although it is perhaps significant that Perotti's work was chiefly praised for its Latinity, there is obviously no consensus, and future estimates of Perotti as a translator will have to be based on a careful comparison of his translations with the originals and, in the case of Polybius, reference to parallel passages in Livy and in Leonardo Bruni's *Commentaria rerum Graecarum*.[67]

---

[62] *Op. cit.*, p. 32. The charge against Perotti which Giovio records was not a particularly unusual manifestation of *livor edax*; Politian, for example, was accused of having found and appropriated an ancient translation of Herodian.

[63] *Opera*, Venetiis, 1502, p. 234.

[64] Giovanni Cristofani Amaduzzi, *Anecdota litteraria ex mss. codicibus eruta*, Romae, 1773, Vol. I, p. 372.

[65] Petri Huetii *De interpretatione libri duo*, Hagae-Comitis, 1682, p. 220.

[66] *Bibliotheca Graeca*, Hamburgi, 1790-1809, Vol. IV, p. 321. The only extensive and detailed examination of Perotti's translation is to be found in Casaubon's preface, where the final estimate is as unfavorable as the passage we have cited from Huet implies. For a more recent discussion from a somewhat different point of view, see W. Dilthey, *Archiv für Geschichte der Philologie*, Vol. IV (1891), pp. 637 ff.

[67] Sandys is not entirely wrong when he states (*A History of Classical Scholarship*, London, 1903-08, Vol. II, p. 46) that Bruni translated Polybius. Bruni drew heavily on that author for materials for his *Commentaria* and translated freely rather extensive passages, but without acknowledgment. It is almost certain that Perotti used Bruni's work in preparing his translation, for he was well aware of Bruni's indebtedness to Polybius. In the letter dated 27 February 1452, in which he announces to Tortelli that he has decided to translate Polybius, he says: "Vt Sanctitatae Suae aliquid gratum facerem, incepi vertere Polybium historicum de primo bello Punico et aliis, cuius spero me ante Pascha quatuor quinterniones ad te missurum, neque dubito eum librum et tibi et Suae Sanctitati gratissimum futurum, tum quia historia pulcherrima est, tum quia liber rarus, tum vel maxime quod Leonardus Arretinus in suo *Primo bello Punico* hunc secutus aliqua fere de verbo ad verbum traduxit, multa longe aliter, immo plane e contrario, complurima etiam scitu dignissima praetermisit. Causam tu potes augurari;

Perotti's activity as a translator from the Greek was not so extensive as that of some of his contemporaries.[68] Leaving out of account short passages of prose or verse and occasional pieces, and also excluding for want of satisfactory determination such translation as he may have done on behalf of his friend and patron, Cardinal Bessarion,[69] he is known to have completed only ten

---

est enim hic liber et truncus et obscurissimus, tamen aliter et verus et elegans historicus. Itaque non dubito, si deus mihi concesserit ut opus hoc absolvere possim, magnam me et apud S. D. N. et alios laudem habiturum." This letter was published by Roberto Cessi, *Giornale storico della letteratura italiana*, Vol. LX (1912), pp. 77 f., but the transcription seems to have been made with little care; corrections are listed by Mercati, *op. cit.*, p. 33, n. 2.

[68] E. g. Rinuccio da Castiglione, a relatively minor Humanist, whose work as a translator is reviewed in Dean P. Lockwood's admirable essay "De Rinucio Aretino Graecarum litterarum interprete," *Harvard Studies in Classical Philology*, Vol. XXIV (1913), pp. 51-109. Rinuccio, in turn, was a far less prolific translator than his compatriot, Leonardo; see Hans Baron's appendix to his excellent edition of Bruni's *Humanistisch-philosophische Schriften*, Leipzig, 1928, pp. 159-80.

[69] In his letter of 12 November, 1469, to Bessarion, Perotti says: "Ipse quoque opera tua abs te Graece scripta fui aliquando interpretatus, quae certe omnia admiratione potius quam laude digna existimavi." This certainly suggests services as a translator more extensive than would appear from the few relatively short Latin versions which bear Perotti's name and are listed in the first chapter of the *elenchus* of Perotti's writings below. One point of some importance has hitherto escaped remark. It was long assumed that Bessarion had written what is generally considered his most important literary work, *In calumniatorem Platonis libri IV*, directly in Latin; the discovery of the Greek original, which was first published by L. Mohler, Paderbornae, 1927, raises the question, Who produced the Latin version? Bessarion wrote in Greek, a language necessarily more congenial to his mind than Latin (which he learned after he had reached middle age), but with the purpose of having his book translated into Latin, for, as he says in a letter to Theodore Gaza written when only a preliminary draft of the first two books had been completed, he wrote *ἵνα γνῶσι Λατῖνοι εἰ ἄρα ἱκανὸς οὗτος* [sc. ὁ Γεώργιος] *τοῖν φιλοσόφοιν* [*Πλάτωνός τε καὶ* 'Αριστοτέλους] *κριτής*. Bessarion would scarcely have written the text out in Greek had he planned to translate it himself, and, although in his numerous references to his work after its publication he sedulously avoids mention of a Greek original and lets the reader assume that he wrote in Latin, it is certain that the Latin is not Bessarion's, for Gaza, who was his intimate friend, in a letter to Filelfo written sometime in 1468 (published by L. Mohler, *Aus Bessarions Gelehrtenkreis*, Paderborn, 1942, pp. 574 ff.) says that Bessarion's expected work *In calumniatorem Platonis* is still in the hands of the translators: *ταῦτα δὲ καὶ εἰς τὴν Λατίνων φωνὴν μετενεγκόντες ἔχουσιν οὔπω ἐκδεδωκότες*. In his diatribe Bessarion quotes extensively from Greek authors, including verses from Homer, Parmenides, Melissus, Solon, and Diogenes Laërtius; these verses are, of course, translated in the Latin version, and the translations were naturally attributed to Bessarion by scholars who supposed that he had written his work in Latin. Perotti, however, included these translations as his own in his *Epitome fabellarum* (in which he would, perhaps, have included yet other verse translations from the Latin version of Bessarion's work, had he lived to complete the *Epitome*; see the article by Guaglianone cited in note 48 above). I think it highly probable, therefore, that Perotti was one of the translators to whom Gaza referred—perhaps the principal translator, for of the men known to have been close to Bessarion at this time there was no one more fitted for the task. We should not, of course, permit ourselves to be misled by what Perotti says in his "Epistola ad Bessarionem in laudem eius libri qui *Defensio Platonis*

separate translations of varying length, all of which are now extant in manuscript form, and five of which have hitherto been published. These translations, arranged in the order of the dates at which they were probably completed and with an asterisk placed before the titles of those which have been printed, may be listed as follows:[70]

| | |
|---|---|
| 1449 | *Basilii *De invidia* [= Homilia IX; Migne, *Patrologia Graeca*, Vol. XXXI, col. 371 sqq.].[71] |
| 1449 | *Plutarchi *De invidia et odio*.[72] |
| 1449 or '50 | Plutarchi *De Alexandri Magni fortuna aut virtute*. |
| 1450 | Epicteti *Enchiridium* una cum Simplicii in eiusdem expositionem praefatione. |
| 1451 or '52 | Plutarchi *De fortuna Romanorum*. |
| 1452–54 | *Polybii *Historiarum* libri V.[73] |
| 1472 | Aristidis *Monodia in Smyrnae deploratione* [= XX; ed. Dindorf, Vol. I, p. 424]. |
| 1472 | Libanii *Monodia in funere Iuliani imperatoris* [= Or. XVII; ed. Foerster, Vol. II, p. 206, cf. p. 204]. |

inscribitur" (ap. Mohler, *op. cit.*, pp. 594-597), which is not really a letter, but a somewhat disingenuous encomium clearly intended for public consumption and designed primarily to convey the impression that Bessarion had written his work directly in Latin. Bessarion was an excellent scholar and an honorable man, and we cannot but join his learned contemporaries in deploring the fact that the College of Cardinals was induced by timidity, Chauvinism, or bribery (or, as one improbable story has it, by Perotti's excessive officiousness) to abandon its decision to elect him successor to Nicholas V, elevating the first Borgia to the Papal See in his stead; but he had his little vanities, and one of these led him to take pleasure in being thought the author of the vehement Latinity of the *In calumniatorem Platonis*. Note also the curious fact that Bessarion, when he sent a copy of Perotti's invective against George of Trebizond to Guillaume Fichet, saw fit to suppress the author's name, describe him only as *quidam ex domesticis nostris*, and to say "Cum autem multa in ea [Perotti *Refutatione*] essent quae magis illum [Georgium] audire quam *nos* loqui decet, subductis virgulis castigavimus." (One such passage, no doubt, was that which I have quoted above, note 41.) See Bessarion's letters ap. Mohler, *op. cit.*, pp. 555, 558.

[70] I have included within brackets fuller identifications of the less common works. It is not, of course, impossible that some of the translations here listed as unpublished may have been printed anonymously in some early editions *Graece et Latine* of the respective authors which I have not examined.

[71] Printed in a miscellany collected and edited by Filippo Beroaldo: Censorini *De die natali*, Cebetis *Tabula*, etc. The first edition, *s. l. et a.* (= Hain 4846) probably appeared at Bologna in 1496; it was reprinted, Bononiae, 1497 (= Hain 4847), and Venetiis, 1500 (= Hain, 4848; cf. Pellechet, 3470). I have not seen the collection of the same items which bears on its title page the statement "collegit Tristanus Calchus Mediolanensis," *s. l.*, 1503, but I assume that it is little, if anything, more than a reprint of Beroaldo's edition.

[72] Included as an anonymous translation in Beroaldo's miscellany cited in the foregoing note, and also reprinted, again without Perotti's name, in at least two editions of Plutarch's *Moralia*, Venetiis, 1532, and Basileae, 1541.

[73] See note 60.

1472 *Bessarionis *Monodia in obitu Manuelis Palaeologi imperatoris* [= Migne, *Patrologia Graeca*, Vol. CLXI, col. 615 sqq.].[74]

After 1474 *[Pseudo-]Aristotelis *De virtutibus et vitiis*.[75]

In addition to the works listed above, Perotti is known to have been engaged in translating three other works, but since there is no evidence that he ever completed his translations, it is probable that he left them unfinished, and, in any event, no manuscript of any portion of his work is known to exist at the present time; these are: some work by Simplicius (the identity of which we shall discuss later), Tatian's *Oratio ad Graecos*,[76] and Arrian's *Anabasis*.[77] In addition, good but probably mistaken authority credits him with three translations of which nothing further is known: Archimedes,[78] the Platonic *Alcibiades II*,[79] and "Procli pars super *Enchiridio* Epicteti."[80]

It will be seen that the work with which we are here principally concerned stands fourth on the list of Perotti's translations. The

[74] The translation accompanies the Greek text in Migne.

[75] See note 47.

[76] See the two letters by Perotti reproduced below, pp. 37 ff.

[77] Perotti in his letters to Tortelli dated 7 January 1454 says: "Sanctissimus Dominus Noster dedit mihi Arrianum traducendum, quod opus summa cum diligentia prosequor. . . . Legent aliquando nostri homines Quintum Curtium perfectum atque integrum." The letter was edited by Cessi, *loc. cit.*, p. 84, and corrected by Mercati, *op. cit.*, pp. 39 f.

[78] Mercati, *op. cit.*, p. 37, states that Perotti's version of Archimedes, which may have been left incomplete, is now lost. I do not know on what evidence Mercati's reference to a translation of Archimedes is based; it is true that in the letter cited in note 77 Perotti says: "Promisit . . . mihi . . . Sanctissimus Dominus Noster . . . se missurum ad me Archimedem Graecum *et Latinum*"—but there is nothing to indicate that he did not wish to borrow the manuscript for purposes other than translation.

[79] Bartholomaeus Facius, who was a contemporary and who generally evinces a pleasingly high degree of accuracy in his work, *De viris illustribus*, Florentiae, 1745, p. 14, tells us that Perotti was the translator of "Platonis liber de precatione." His list of Perotti's other works is the most complete found in any early notice of Perotti, and is, with this exception, strictly correct. Had Mercati noticed this concise but valuable little work, his thorough knowledge of the period and of the contents of the Vatican Library would, no doubt, have enabled him to explain this attribution. Perotti, as might, perhaps, be expected of an associate of Bessarion, took a considerable interest in Platonic doctrine, and even proposed, in a letter to Bessarion (12 November 1469), the formation of a "triumvirate," to consist of himself, Bessarion, and Theodorus Gaza, which would undertake the expeditious production of a translation of the *Leges*.

[80] According to Mercati, *op. cit.*, p. 39, this is one of the eight translations listed on a slip of paper attached to Perotti's letter of 7 January 1454. It seems that the reference must be to the preface of Simplicius' commentary which Perotti placed before the *Enchiridium*, but "Procli" for *Simplicii* is a curious error, and particularly astonishing if, as Mercati believes, the list is in Perotti's handwriting.

first three, as is obvious from Perotti's prefaces in which he describes them as the first fruits of his studies,[81] he submitted to the Pope on his own initiative, hoping to attract attention and win favor. His preface to the present work likewise implies that the translation was made spontaneously: " cum mihi nuper in manus incidisset exiguus hic libellus, qui *Enchiridium* inscribitur, dignus mihi visus fuit quem Latinum facerem et tuo beatissimo nomini, Pontifex Maxime, dedicarem." The translation which is fifth on the list, Plutarch's *De fortuna Romanorum*, was clearly made in execution of a papal commission, for in his preface Perotti, listing the reasons why he did not desist from translating a work so little flattering to Roman pride, places first " iussa tua, Summe Pontifex, quibus tergiversari nefas erat." [82]

Aside from the preface, which is certainly far from explicit, our only information concerning the date at which Perotti produced his version of the handbook of Epictetus and the circumstances which led him to undertake the task comes from two letters written to his friend and sponsor at the papal court, Tortelli, which, since the context of the statements in which we are particularly interested is of some importance, are reproduced in full on pages 35 ff. It is unfortunate that no earlier letters from Perotti and none of Tortelli's replies are, so far as is known, preserved. In the first of these letters, written on 30 November 1450, Perotti clearly implies that his translation of Epictetus had been completed before July of that year, for it is obvious from the early part of the letter, in which Perotti describes his illness, that he had not written to Tortelli since he became seriously ill in the early days of July (" mense Quintili " and at the time of writing he had been ill " menses circiter quinque ") , and it is also clear that there had been no indirect communication by messengers or friends; yet Perotti says that Tortelli knows (" ut scis ") that he completed the translation of Epictetus promptly. He inferentially asks advice whether he should submit the translation to Nicholas V at once, and although it is not clear whether a presentation copy had already been made, the work is described as definitely completed (" tersum limatumque ") . A date in the first

---

[81] See note 39. The preface to the *De Alexandri Magni fortuna aut virtute*, though written with greater amplitude and assurance, contains a similar phrase: " hunc [librum tibi] . . . quasi ingenii mei primitias dedicavi."

[82] Perotti's preface was published by Sabbadini, *Giornale storico della letteratura italiana*, Vol. L (1907) , pp. 53 f.

part of 1450 seems, therefore, the most probable, since his earliest translations were produced in 1449, if we accept his statement in a letter to Costanzi [83] that he began such work in his twentieth year, and it is highly probable that these *primitiae* were submitted to the Pope before the latter commissioned him to make the translation from Simplicius to which Perotti also refers in his letter of 30 November 1450. It is also obvious that Perotti, who writes from Bologna, was in Rome (" memini te praesenti me Summo Pontifici dixisse ") when the Pope asked him to translate Simplicius, and the date must, of course, have been earlier than June.

Perotti does not specify what work by Simplicius he had been asked to translate, but he explains with obvious anxiety that the manuscript from which he worked was so defective that he was ashamed of the fragmentary translation that he had made from it, and asks the Pope to have patience until a better manuscript, which Bessarion has ordered from Byzantium or Greece, arrives and thus enables him to complete the work. We may assume that the excuse was accepted, for in the second letter to Tortelli, written on the twenty-ninth of the following June, there is no mention of Simplicius. Perotti subsequently [84] visited Rome, perhaps in the autumn of 1451, and it would appear that Nicholas V manifested some impatience and reiterated his wish for a translation—perhaps even a fragmentary one—of the work by Simplicius, for Perotti, in a letter to Tortelli dated the twenty-seventh of February, 1452, again presents excuses:

Simplicium non solum non absolvi, sed post meum ex urbe Roma reditum numquam vidi. Etenim Dominus Legatus,[85] dum ego Romae essem, propter varias suspiciones quae hîc erant, omnes libros suos clausos et sigillatos Florentiam miserat; itaque numquam postea eum librum habere potui. Tuum erit excusare me apud S. D. N. et, si tibi videbitur, faciam ut hoc idem Dominus Legatus ad Suam Sanctitatem scribat. Tamen,

[83] The " epistola de ratione studiorum suorum " was published by Angelo Mai, *Classici auctores e Vaticanis codicibus editi*, Romae, 1828-38, Vol. III, p. 306. (The subscription to the letter does not appear in the manuscript from which Mai professes to have taken the text, according to Mercati, *op. cit.*, p. 19; Mercati believes, *ibid.*, pp. 24 f., that the letter was written in January, 1454. The date of this letter, of course, is not pertinent to our present problem.)

[84] The *suspiciones* mentioned in the passage quoted below seem to refer to some fear of civil turmoil and cannot well refer to the warfare described in the letter of 29 June 1451.

[85] Cardinal Bessarion.

ut Sanctitati Suae aliquid gratum facerem, incepi vertere Polybium historicum . . . .[86]

There is no evidence that Perotti ever completed his work.

The work of Simplicius which Perotti was commissioned to translate has variously been identified. One modern scholar,[87] elaborating with some *désinvolture* what may have been no more than a slip of Apostolo Zeno's pen,[88] assures us that Perotti early attained prominence at the papal court: " sa traduction latine du commentaire de Simplicius à la politique d'Aristote le fit remarquer par Nicolas V." Since Simplicius wrote no commentary on the *Politics*, this identification need not detain us. A more tenable hypothesis was adopted as a certainty by Guido Zaccagnini,[89] who states that " in Bologna [Perotti] tradusse . . . il commento di Simplicio sopra la fisica di Aristotele." Giovanni Mercati,[90] while granting the impossibility of making a positive identification, remarks: " Ritengo si tratti del commento al *Manuale* di Epitteto, perchè esso è realmente assai lacunoso in diversi codici, ad es. nei Vaticani greci 326 e 327; perchè il Perotti ne ha tradotto il proemio che si trova insieme al *Manuale* . . . e nella lista delle sue traduzioni prime si registra 'Procli [sic!] pars super Enchiridio Epicteti.' "

If we wished to augment confusion, we could propose a fourth identification and support it by the fairly cogent consideration that Perotti in his letters states that the manuscript from which he was working belonged to Bessarion, and we know that Bessarion did own a defective copy of one work by Simplicius, for in the catalogue of his library [91] is listed " Simplicii in librum de caelo et mundo, imperfectus et inordinatus." This fact, however, would be the only argument in favor of such an attribution, and it is certainly not conclusive.

It is possible to devise plausible, but again inconclusive, arguments

---

[86] From the text edited by Cessi but with Mercati's corrections; see note 67.

[87] G. Simar, *Musée belge*, Vol. XIV (1910), p. 190. Lodovico Frati in his article " Di Niccolò Perotti," *Giornale storico della letteratura italiana*, Vol. LIV (1909), pp. 389-406, explicitly states that in the letter which we have reprinted in full on pp. 35-37 Perotti says that he has *completed* a translation of Simplicius' commentary to Aristotle's *Politics*. Inaccuracies of this sort, which seem to arise from a desire to convert random guesses from inadequate evidence into circumstantial accounts, produce more than half the difficulties that are encountered in an investigation of Perotti's career.

[88] *Op. cit.*, Vol. I, p. 266.

[89] *Storia dello Studio di Bologna durante il Rinascimento*, Genève, 1930, p. 117.

[90] *Op. cit.*, p. 34, n. 2.

[91] Migne, *Patrologia Graeca*, Vol. CLXI, col. 701 sq.

in support of the two other hypotheses already mentioned. In favor of the assumption that Perotti was translating Simplicius' commentary on the *Physics*, the following considerations may be adduced:

1. The explicit statement that Perotti translated this work may be based on evidence unknown to us. The attribution is made quite positively but without comment by Domenico Giorgi,[92] who was a scholar and bibliographer of repute and whose biography of Nicholas V is obviously the product of considerable and diligent research. It is, however, impossible to determine whether he, writing near the middle of the eighteenth century, had definite evidence, indulged a conjecture, or relied on some one of the notoriously inaccurate bibliographers and eulogists of his own or the preceding century.

2. Perotti, it may be said, must at some time have seen Simplicius' commentary on the *Physics*, since only in this work are preserved the fragments of Parmenides which he translated and included in his *Epitome fabellarum*.[93] This argument, however, is open to the objection that Perotti's verses are used in the Latin text of Bessarion's *In calumniatorem Platonis*; it is probable, therefore, that the translations were made in 1469 for use in that work, and should not be considered evidence for Perotti's activities in 1450.

3. If Perotti absent-mindedly attributed to Proclus the part of Simplicius which he prefixed to his version of the *Enchiridion*,[94] it seems unlikely that he can have spent a long time working on the book from which it was taken.

In support of the alternative hypothesis, although we shall have to abandon Mercati's argument from the state of the manuscripts, since there undoubtedly were in existence defective copies of other works by Simplicius, and since the presence of the defective codices in the Vatican Library is without significance, for Perotti clearly says that the manuscript which he used was *not* lent to him by the Pope, we may urge the following:

---

[92] *Vita Nicolai Quinti Pont. Max. ad fidem veterum monumentorum*, Romae, 1742, p. 184. Giorgi had undoubtedly seen the letters which we have printed below, and it may be that he merely guessed what the unspecified work by Simplicius was. His reference to the letter to Tortelli as authority for his statement must be a *lapsus calami* or the result of some confusion in his notes; it is unfortunate that the error occurred at precisely the point where his testimony would be most valuable to us.

[93] Nos. 141-44. Cf. note 69.

[94] See note 80.

1. As Mercati observes, Perotti did translate the part of Simplicius' commentary on the *Enchiridion* which he included with his own translation of that work.

2. From his letter of 30 November 1450, it is clear that he had completed the *Enchiridium*, but had not submitted it to Nicholas V. He says that he can submit it at once, *if* Tortelli thinks it advisable for him to do so. If this translation was, like his three earlier translations from the Greek, an entirely separate essay, why should he hesitate? Since he seems particularly anxious to reassure the Pope concerning his own industry and ability, would it not be his first impulse to present as soon as possible a completed work that he had on hand? Other reasons for his hesitation can, of course, be imagined, but the one that first suggests itself is that the *Enchiridium* was a part of, or an adjunct to, a larger work which he had not completed, i.e. the Simplicius.

3. What Tortelli replied to the letter of 30 November, we of course do not know, but Perotti's letter which accompanied the presentation copy of the *Enchiridium* was not written until some seven months later. It is improbable that either the dilatoriness of the scribes, of which he elsewhere complains, or the slowness of communications can entirely account for a delay of this length, and we can scarcely doubt the veracity of Perotti's statement that the work was complete in November, for he clearly implies that Tortelli knows that it was complete. Tortelli may, therefore, have counselled delay, and it is easy to imagine that he did so by suggesting that Perotti await the arrival of the better manuscript of Simplicius, which Perotti had led him to expect in the near future (" post aliquot dies ").

4. Perotti seems to imply in his letter that the *Enchiridium* was a commission from the Pope. He completed it, he says, " sine aliqua tarditate," and in requesting a new commission, he promises to do the translation promptly, " neque Simplicium imitetur, sed Epictetum." If the latter was his own project, his argument has little point. Against the assumption that he was commissioned to make this translation, it can, of course, be urged that Perotti not only makes no allusion to such a commission in his preface, which was scarcely the place to recapitulate a somewhat embarrassing explanation, but, as we have pointed out above, uses a phrase which distinctly implies that it was he who thought of making the translation. It is possible

to imagine that Perotti originally proposed a translation of the *Enchiridion* with, perhaps, as much of Simplicius' commentary as he did include in his finished work, that Nicholas V wanted a version of the entire commentary, and that Perotti finally agreed to this, although with some reluctance, for he is careful to point out in his letter that he told the Pope that only one manuscript was available. This conjectural reconstruction has at least the merit that it accounts for all the known facts.

Although a positive statement that either hypothesis is correct can be made only by stretching the thin fabric of fact on the tenter of theory, it may not be too much to conclude that it is a little more probable that the work of Simplicius to which Perotti refers in his letter of 30 November 1450, was the *Exegesis* to the *Enchiridion*.

Whether or not the reason which we have suggested above for the delay is correct, Perotti's letter of 29 June 1451, makes it obvious that his *Enchiridium* was not submitted to the Pope until after that date. It is also clear that the presentation copy was carried to Rome by the *legati Bononienses* who, as the last line of the letter indicates, were also the bearers of the letter. There is no reason for supposing that the actual presentation did not take place soon after their arrival.

What happened to the presentation copy is not known; no trace of it has been found in the Vatican Library, and, as we shall have occasion to observe later, it appears that none of the manuscripts used in the present edition of Perotti's translation was derived from that copy. One further detail, therefore, remains to be noticed.

Late in 1451 the Emperor Frederick III, determined to realize such advantages as could accrue to him from the Concordat of Vienna, which he had concluded with Nicholas V in 1448, set out for Italy where he was to be married to Leonor of Portugal and to have placed on his brows the golden symbol of an empire that had never been either Holy or Roman.[95] He reached Bologna on the twenty-fifth of January, 1452, and was received with the adulation which was in that age thought the best mask for insincerity. The ceremonies necessarily included a formal eulogistic oration, which Perotti was chosen to deliver.[96] He displayed to advantage the ful-

[95] He was crowned at Rome on 19 March 1452.

[96] Aeneas Sylvius, whose *Historia rerum Friderici III imperatoris* contains the most detailed account of the Emperor's journey, probably deliberately avoids mention of Perotti's performance. In his account of the stay in Bologna (*Analecta monumentorum*

some, if turgid, charms of Renaissance panegyric, and so successful was his composition that, far from being a mere *pièce d'occasion,* it was regarded as a model for productions in that *genre* and as such was remembered two decades later and included by Albrecht von Eyb among the thirty specimens of eloquence reproduced in the treatise on rhetoric which he somewhat fancifully entitled *Margarita poëtica.*[97] The Emperor manifested his appreciation of the mellifluous encomium by conferring on Perotti various titles, including that of Poet Laureate. For this honor, in which he seems to have taken real pride, Perotti expressed his thanks in verses which, since they are brief, may be quoted here:

> Cinxisti viridi, Caesar, mea tempora lauro:
>    ecce meas ornat sacra corona comas.
> Non mea me virtus tali nunc munere dignat,
>    dulce sed exhibuit Principis ingenium.
> Diique deaeque, precor, pro me, mitissime Caesar,
>    persolvant meritis praemia digna tuis;
> ast ego, quo tali tibi sim ⟨pro⟩ munere gratus,
>    extollam laudes semper ad astra tuas.[98]

For our purposes it will suffice to observe that since all the manuscripts which have been used for the present edition of the *Enchi-*

---

*omnis aevi Vindobonensia,* opera et studio Adami Francisci Kollarii, Vindoboniae, 1762, Vol. II, col. 241B), he hurries from the picturesque detail of Bessarion's beard, which greatly astonished the Emperor, to the efforts made by the Sienese to avoid receiving a guest whose authority they were unwilling either to concede or to deny.

[97] The first edition was printed at Nürnburg in 1472 according to Joseph A. Hiller, *Albrecht von Eyb,* Washington, 1939, p. 69, who has located three editions in addition to the twelve listed by Hain (6814-25). I have used the edition, Basileae, 1503. Perotti's oration is quaintly qualified as an *ingens laudatio.*

[98] These verses also were included in the *Margarita poëtica* as a pendant to the oration; I have quoted the version given in the *Codex Perottinus* (ed. Iannelli, p. 253) which has, presumably, been slightly retouched by the author. I have tried to mend the penultimate line (which in the *Codex Perottinus* appears in the impossible form " ast ego, quo tali sim tibi munere gratus ") by reference to the earlier version in the *Margarita poëtica,* in which the last distich is:

> ast ego, quo tanto tibi sim pro munere gratus,
>    cantabo laudes dum mihi vita tuas.

From the *Codex Perottinus* (p. 255) we may also quote the following somewhat enigmatic verses which refer to the same occasion:

De amore svperato

> Cerne triumphales circum mea tempora lauros:
>    imposuit capiti Caesar utraque manu.
> Quaeris quae tanto victoria digna triumpho
>    extiterit: nostra est arte repulsus amor.

There seems to be no answer to the inevitable question, Whose love?

*ridium* either designate Perotti as *poëta laureatus* or are derived from manuscripts which contain that title, they must have been copied after January, 1452.

## IV

The fact that Perotti's *Enchiridium* enjoyed no great popularity in his own day and was soon so completely forgotten that it is now printed for the first time, almost five centuries after it was presented to Nicholas V, is to be explained by two principal considerations which may here be noted briefly.

Both in form and content the work was in itself dissonant to the interests and spirit of the early Renaissance. The deliberately simple and homely style of Epictetus' handbook must have appeared particularly arid in an age of rhetoricians, when magniloquence and subtlety were prized for their own sake. But the content was even less appealing than the form. The Stoicism which Epictetus commends in this little work is essentially a philosophy of abnegation; it is a doctrine of freedom devised by a slave; it is a bold *Überwertung* whereby the man who feels that his property and person are irremediably insecure may retreat into the inexpugnable citadel of his own consciousness, abandoning, if need be, his possessions and his body to the whims of the publicans and the police. It is essentially a doctrine for the common man, though it is free of both the snivelling sentimentality and the gross sciolism that are currently associated with that term; it is a philosophy which has appealed, and will again appeal, to men of mediocre station and reflective minds who feel themselves hopelessly entrapped by the society in which they live, and who, though perhaps theoretically free citizens by legal definition, know that they exist only at the mercy of a ponderous government and the polypragmatic agents whom an elaborate machinery has made actually irresponsible. Engendered in an age of totalitarianism, it will always, under its own or some other name, be the principal non-religious consolation of the wretches who are wards of the State; but to the Humanists of the fifteenth century it was a doctrine that was fundamentally alien and perhaps a little incomprehensible, both in its spirit and in its specific recommendations. To the men who carried the art of loedorography to a height unparalleled in history, and whose acrimonious polemics remain the marvel of later generations, Epictetus' advice to answer contumely with a meek " ita illi videtur " must have fallen on incredulous ears. In an age in which men with pen and sword purchased immortality from Clio and Melpomene and thought no price too great, the inclusion of *gloria* among the things *quae non sunt in nobis* was a kind of blasphemy. When a thousand lances or a good Latin style might make any man a power in Italy; when the highest good was the *virtú* by which aristocrats of the mind could transcend the limitations of ordinary mortality; when the common man was the inarticulate and unreflecting *corpus brutum* of history and those who thought themselves his superiors most ardently believed that they were masters of their destiny—in that age the modest doctrine of Epictetus can have had little appeal.[99] Such esteem as he enjoyed, he probably owed to the fact that he was " ancient " and to the far-reflected glory of Cato of Utica.

It is not astonishing, therefore, that Perotti's *Enchiridium* remained generally unknown. When Politian, whose early poverty had perhaps equipped him to feel some appreciation of Epictetus' counsels, although he was little guided by them in later years, entered the court of Lorenzo il Magnifico in 1475, he prepared a translation which he presented with the implication that it was the first Latin version of the *Enchiridion*, and even his zealous detractors, who often accused him of plagiarism and once even named Perotti as his victim,[100] seem not to have challenged his claim, little realizing with how vulnerable an object for attack he had provided them. Clearly, Epictetus was little known. And Politian's celebrity among his contemporaries as the Latinist who had at last recaptured the true diction of antiquity, as the great poet who was to realize the long-cherished dream of an *Ilias Latina*, must have made Perotti's version obsolete even for those who knew of it. When Filippo Beroaldo decided to include a translation of the *Enchiridion* in the miscellany in which Epictetus first appeared in print in any form, he

[99] It is significant that Politian, seeking to commend his translation of the *Enchiridion* to his contemporaries, felt it necessary in his prefatory letter to defend Epictetus from the imputation that he wrote for the humble and unfortunate: " Id enim disciplinae genus in eo est, quod si recte perpendas, non cuiquam magis aliorum, quam ingentis fortunae viris conveniat." For a fuller defense of Epictetus against the prevailing tendencies of Renaissance thought, see Politian's *Pro Epicteto Stoico ad Bartholomeum Scalam epistola* (in *Opera omnia* Angeli Politiani, Venetiis, 1498 [=Hain 13218], f. T. i.). The letter merits close study, both as a document of Renaissance thought and with reference to its sources.

[100] Politian was accused of having taken the material for his *Miscellanea* from Perotti's *Cornucopiae*, which at that time had not yet been printed.

may well have had Perotti's version before him, for he did include in the same volume Perotti's translations of Basil's *De invidia* and of Plutarch's *De invidia et odio*,[101] but if he did, he cannot have hesitated when he had also available a version adorned with Politian's name. Thus Politian's became the standard Latin version, and did not entirely lose its value even after Wolf's translation from a far better text appeared in 1560.[102]

In his dedicatory letter to Lorenzo de' Medici, Politian explicitly says that he worked from two extremely defective manuscripts of the *Enchiridion*, which he supplemented by recourse to Simplicius' commentary, and he certainly implies that he knew of no earlier Latin translation:

Hoc ego opus cum Latinum facere aggrederer, ut indulti a te nobis huius tam suavis otii rationem aliquam redderem, in duo omnino mendosissima exemplaria incidi pluribusque locis magna ex parte mutilata. Quapropter cum et cetera quaecunque usquam exemplaria extarent non dissimilia his esse audirem, permisi mihi, ut sicubi aliqua capita aut deessent aut dimidiata superforent, ea ego de Simplicii verbis, qui id opus interpretatus est, maxima (quantum in me esset) fide supplerem. Quod si non verba ad unguem (id nullo modo fieri poterat) at sensum certe ipsum purum sincerumque Latinum a nobis redditum arbitror.[103]

So frank a statement all but compels belief; to verify it, to determine whether or not Politian did in fact use Perotti's version, would take us beyond the limitations of this Introduction and, in present circumstances, would probably lead to inconclusive results. As is suggested by even a casual comparison of the two translations, and as will be abundantly evident from the critical annotations to the text which we print below, there can be no doubt whatsoever that Politian did translate from defective manuscripts and that, if he did

---

[101] See notes 71 and 72; and for a conjecture that Beroaldo may not only have had Perotti's version at hand, but have made some use of it in editing Politian's translation, see p. 109. The *Enchiridium* did not appear in the first edition of Beroaldo's miscellany, Censorinus *De die natali*, etc., *s. a. & l.* [= Hain 4846], if the copy in the Congressional Library is, as it appears to be, complete. Politian's translation first appeared in the second edition, Bononiae, 1497 [= Hain 4847].

[102] For a list of the publications of Politian's version, see W. A. Oldfather, *Contributions toward a Bibliography of Epictetus*, Urbana, Illinois, 1927. It was, for example, reprinted in *Αρριανου Τακτικα, Περιπλοι, Κυνηγετικος, και Επικτητου Στοικου Εγχειριδιον*, Amstelodami, 1683, which I have, for convenience, generally used, together with the reprinting in the fifth volume of Schweighaeuser's monumental edition of the *Epicteteae philosophiae monumenta*.

[103] In the edition of 1683 cited above, pp. 372 f.

have Perotti's version at hand, he followed the Greek in all instances of discrepancy, for he frequently presents a reading inferior to Perotti's. That he relied primarily on his Greek manuscripts cannot be disputed; whether he *can* also have used Perotti's version for what it seemed to be worth, is quite another question, and our answer might depend on our subjective judgments whether the comparative simplicity of the Greek text and the extremely limited vocabulary of Latin, which leaves little choice of words for a given meaning, adequately account for the similarities which we observe. The following example is perhaps as striking as any.[104] In Chapter 33, § 15, both translators seem to have had before them the better, although less common, reading:

ὀλισθηρὸς γὰρ ὁ τρόπος εἰς ἰδιωτισμόν

Perotti: Est enim res fere vulgaris, et nescio quo modo ducit ad vilitatem.

Politian: Est enim res vulgaris, et nescio quo modo ducit ad vilitatem.

Since neither version is literal, the coincidence is remarkable.

So far as the general similarities and differences between the two translations are concerned, the following juxtaposition of the passages which correspond to the first three sections of Chapter 1 of the *Enchiridion* will probably serve better than an involved and detailed analysis which would inordinately increase the dimensions of the present work.[105]

| Perotti | Politian |
| --- | --- |
| Eorum quae sunt, quaedam in nobis sunt, quaedam non sunt in nobis. In nobis quidem opinio, appetitio, declinatio, et, ut breviter dicam, quaecumque nostra opera sunt. Non in nobis vero corpus, possessio, gloria, et, ut brevi complectar, quaecumque non sunt opera nostra. | Eorum quae sunt, partim in nobis est, partim non est. In nobis est opinio, conatus, appetitus, declinatio, et, ut uno dicam verbo, quaecumque nostra sunt opera. Non sunt in nobis corpus, possessio, gloria, principatus, et uno verbo, quaecumque nostra opera non sunt. |

[104] Cf. p. 108. The real difficulty here arises from the fact that we cannot be certain of the text of Politian's version, which may have been retouched by Beroaldo before it was printed. Until I have unmistakable manuscript evidence of what Politian wrote, I certainly do *not* intend to impeach his credibility and integrity.

[105] It should perhaps be observed that in the annotations to the *Enchiridium* of Perotti no effort was made to collate Politian's version, which is generally mentioned only where it serves as evidence for the Greek text.

| Perotti | Politian |
| --- | --- |
| Et ea quidem quae in nobis sunt, natura libera sunt, a nullo vetita, a nullo impedita; quae vero non in nobis, imbecillia, servilia, impedita, aliena. | Quae igitur in nobis sunt, natura sunt libera, nec quae prohiberi impedirique possint. Quae in nobis non sunt, ea imbecilla, serva, et quae prohiberi possunt atque aliena. |
| Memento quod si ea, quae natura libera sunt, servilia putaveris, et quae aliena, propria, multa tibi aderunt impedimenta; gemes, turbaberis, accusabis deos atque homines. Si vero quod tuum est id dumtaxat tuum esse existimaveris, alienum vero ita ut est alterius esse, nemo te unquam ad aliquam rem coget, nemo prohibebit, neminem accusabis, nemini irasceris, nihil ages invitus, nemo tibi nocebit, inimicum habebis neminem, mali nihil patieris. | Si quae natura sunt libera, serva putabis, et aliena quae sunt, propria, impedieris, dolebis, turbaberis, incusabis deos atque homines. Si vero quod tuum est, id solum tuum esse putabis, et alienum quod revera est alienum, nemo te coget unquam, nemo prohibebit, neminem culpabis, neminem accusabis, invitus nihil ages, nemo te laedet, inimicum non habebis. |

Even in so short a passage the principal characteristics of both versions are illustrated or suggested. Politian, although he is occasionally more precise than Perotti, as in the second section where *quae prohiberi possunt* is a more exact translation of *κωλυτά*, a word which designates the state of being exposed to interference or impediment rather than that of being actually impeded, normally takes much greater liberties with the Greek. At the beginning of the third section, for example, he simply ignored the first words of the sentence, *Μέμνησο οὖν, ὅτι*, doubtless because he preferred the simple elegance of a direct statement to a slightly awkward construction in indirect discourse. At the end of the section he omits a clause either because he thought it redundant or because his manuscripts were defective at this point. If the latter be the true explanation, this is the first of the many passages (some of which are noted in my second apparatus, e. g. *ad En.* 33, 10; 40; 41) which Politian presumably did not find in his lacunose manuscripts and so either omitted entirely or, in accordance with the procedure which he describes in the part of his prefatory letter quoted above, attempted to supply from the commentary. So numerous and striking are these omissions and discrepancies that it is astonishing that Politian's version retained its prestige and popularity after the Greek text had been published and made generally available for comparison. Perotti's version, despite its occasional defects, far more faithfully reproduces the contents of the original.

Equally marked is the contrast when the two versions are considered as specimens of Latinity, for the rather remarkable frequency with which the same word or phrase appears in both emphasizes the fundamental stylistic differences. In the very first sentence of Politian's version the use of the idiomatic *partim . . . partim* after a partitive lends a flavor of native Roman speech and hence a certain elegance to the style—although, to be sure, for a severely critical reader of a later era the effect is spoiled by the affected use of the singular *est*, which is indefensible in this context. It requires, however, only the most casual inspection to convince any reader that Politian's Latinity, although not impeccable, is much superior to Perotti's not only in elegance, but in accuracy. Perotti's, indeed, is not infrequently vitiated by painful soloecisms. At the beginning of the third section above he translated the words that Politian ignored, but he followed the Greek so closely that he disfigured his Latin by the very construction that is regarded as the most obvious mark of the low Latin of the decadence. The error is not one which Perotti consistently makes—*memento* is correctly followed by the infinitive in *En.* 10; 15; 25, 1—but it appears even more nakedly in other passages, e. g. Simpl. 5c: *ostendit quod is proprie homo sit.* Equally barbarous and conspicuous is the occasional use of the indicative in indirect questions, e. g. *En.* 49: *quaero quis est.* Perotti also admits a subjunctive where the imperative should stand (*En.* 24, 3: *hortemini, feratis*), shows a curious propensity to put a pointless subjunctive in the protasis of a conditional sentence (e. g. *En.* 7: *si senex sis, non erit tibi abeundum*), and infringes other syntactical rules; once, indeed, he permits himself to write *animam esse intereuntem* in a context (Simpl. 3b) which partly conceals the blunder. His vocabulary, with a few exceptions (e. g. *pr.* 13: *media* in the sense of 'means'), is reasonably pure, but the exigencies of translation sometimes lead him to use phrases redolent of Scholastic jargon, e. g. *electionem meam secundum eius naturam se habentem* (*En.* 4). Other examples of Perotti's deficiencies as a Latinist may be found on almost any page of the text which I have edited, but I have called attention to them in the apparatus only where either the reading or the meaning seemed to require comment: *pr.* 6; 12; *En.* 2, 1; 5; 33, 2 (bis); 33, 10. We must note, however, that Perotti's syntactical errors are almost never systematic: he transgresses no major rule with which he does not comply elsewhere in the text. He is, in other words, a typical Latinist of the fifteenth century: he strives valiantly to attain a style that is classical, and he has learned correct construction from good authors, but he has not freed himself from the corrupting influence of decadent writers, whose blunders he occasionally reproduces, either inadvertently or under the mistaken impression that they represent permissible stylistic variations.

The foregoing strictures on Perotti's Latinity, like all stylistic criticism of Renaissance writers, must, of course, be understood historically. They are not in any sense a disparagement of Perotti's abilities; they are not even a suggestion that his capacities as a Latinist were inferior to those of the more correct and elegant Politian. It is true, of course, that no reader of the *Nutricia* can have doubted that its author was a literary genius of a very high order, while Perotti has no claim to creative ability; but this fact has only slight relevance to the matters with which we are here concerned. The important point is that Politian was the younger man. In fact, he was yet unborn when Perotti translated the *Enchiridion*, and the twenty-five years that separate the two translations are the real measure of the relative purity of their Latinity. In an age of intense intellectual activity a quarter of a century is a long time. The history of Renaissance Latinity, one of the most important chapters in the intellectual history of Europe, has yet to be written; it will be a chronicle of one of man's most arduous efforts to educate himself. When we remember that the early Humanists had no grammars or lexica worthy of the name, no reference manuals that were not jungles of accumulated and compounded ignorance, no texts of classical authors that were not disfigured by the prolific blunders of successive scribes,[106] no standards of critical method,[107] and no teachers who were not themselves infected by the contagious cor-

[106] The importance of this factor cannot be overestimated; some details of correct Latin usage, indeed, were not clarified for centuries. As late as the middle of the nineteenth century a careful Latinist could still write a date in the form *tertio Idus Maii*, relying on false readings in the texts of Cicero (especially *In Ver. II*, I, 42, 109 and *De or.* III, 1, 2) and Livy (XLI, 16, 1).

[107] I have touched on this point in an article on "Petrarch's Prestige as a Humanist," *Classical Studies in Honor of William Abbott Oldfather*, Urbana, Illinois, 1943, pp. 139-45.

ruption of the Dark Ages,[108] we understand why the instauration of classical diction, the recovery and practice of a highly complex and subtle idiom, must rank among the great accomplishments of the modern mind. It is not remarkable that this victory was not won in a day or a century. The heartbreaking toil of generation after generation of Humanists produced a constant revision and purification of the standards of Latinity, and in the fifteenth century, when even the fundamentals of syntax were major problems, change was rapid and progress can be measured almost from year to year. The Humanists were learning, zealously, assiduously; in general terms it can be said that each man's Latin shows a fairly constant improvement. Even our text of the *Enchiridium* offers in two places (*pr.* 2; 6) clear evidence of Perotti's efforts to castigate his own style, and we should doubtless be able to recognize others if we had a copy of his first draft of the translation. His version of Polybius, completed only four years after the *Enchiridium*, has fewer blemishes linguistically, whatever may be said of its comparative fidelity to the Greek original. The syntactical rules which he sets forth in the *Rudimenta grammatices* are more correct than his earlier practice, although they frequently reflect the uncertainties of the time by merely deprecating what they should forbid.[109]

When we read the Humanists we must candidly recognize and sincerely regret that their writings are here and there marred by ugly soloecisms, but we should, I think, be ill advised, were we either to affect a precious fastidiousness or to deny the magnitude of their achievement. We can at least accord to Perotti the respect which we owe to a man of learning and sincerity who offers us what is assuredly the best that he can give.

---

[108] For example, Perotti probably first learned Latin under a teacher who condoned, or perhaps even taught, the use of *suus* as a non-reflexive adjective; although he clearly knew the correct usage by the time that he wrote his letter of 29 June 1451 to Tortelli (reproduced below), he was writing in haste and so put *suam* for *eius* in the last line of the antepenultimate paragraph. Everyone knows by experience how difficult it is to eradicate from the mind mistaken beliefs imprinted upon it in youth.

[109] E. g. "Ea quae per subiunctivum verbum cum coniunctione *quod* dici possunt, longe elegantius sine *quod* per infinitivum dicuntur; verbi gratia . . . 'scio quod tu legis': scio te legere." Etc. (In the edition entitled *Regulae Sypontinae*, Venetiis, 1495, on the second page following f. h. iiii.)

## TWO LETTERS FROM PEROTTI TO TORTELLI [1]

### I

Non possum ad te scribere quantam mihi voluptatem attulerunt litterae tuae sive quod tam diu a me et summo quidem cum desiderio exspectatae fuerunt, seu quod ita sunt plenae amoris, benevolentiae, mansuetudinis, humanitatis, ut non solum abs te esse sed omnem ingenii tui suavitatem et plane te ipsum redolere videantur. Sed me miserum quod referre tibi paria non possum! Tu ad me de valetudine tua, de Summi Pontificis incredibili erga me amore, de meis laudibus, quae res omnes mea vita mihi iucundiores sunt, dii boni, quanta cum benevolentia, quam humaniter, quam plena manu scribis! At ego nihil tibi rescribere possum non plenum doloris, non plenum molestiae, non plenum acerbitatis. Maluissem equidem huiusmodi res aliorum litteris quam meis ad te perscribi, sed postquam sum litteris tuis provocatus ad respondendum, nec sine dolore possum scribere, nec tacere sine pudore. Nam ut primum a me incipiam et sequar ordinem litterarum tuarum, mihi (utinam atque iterum utinam cum bono omine!) salutem dicis. Ego vero adeo hactenus salute carui ut iam menses circiter quinque, hoc est a mense Quintili usque in hunc diem, vix tantum me de lecto dimoverim, quantum me curandi corporis necessitas coëgit. Genus meae aegritudinis fuit ut grave atque acerbum ita medicis incognitum et vix cuiquam, qui id non viderit, credibile. Nam si quis me roget 'quod genus fuit aegritudinis?', nihil profecto aliud respondere sciam nisi 'intumuit genu'. Quam ridicula res videtur!—et tamen testor omnes superos non sensisse me ante haec tempora quid esset dolor. Quis mihi animus fuerit, tute velim tibi persuadeas. Angebat me non solum praeteritum tempus quod a studiis litterarum tamdiu abfuissem, non solum praesens, quod in tanto squalore, maestitia ac cruciatu me constitutum videbam, verum etiam futurum, quod spes salutis meae

[1] I here edit these letters from rotographs of the originals sent by Perotti to Tortelli, which are preserved in Vat. Lat. 3908, ff. 148 (formerly 152) and 157 (formerly 163). I have thought to consult the reader's convenience by modernizing the punctuation, resolving contractions, expanding most of the abbreviations, correcting a few orthographic irregularities, and making no report of a few words cancelled by Perotti, obviously at the time of writing. It is clear from these cancellations that both letters were composed in haste—a circumstance which may partly explain the comparatively large number of grammatical lapses.

pertenuis ostendebatur. Adde quod dum ita essem constitutus, frater in quo omne meum praesidium relictum putabam, qui me solus consolabatur, si qua esse poterat in tanto maerore consolatio, in gravissimum pestilentiae morbum incidit; atque eo res evasit ut medici omnes eum pro mortuo derelinquerint fueritque ei et pannus, quo vita functus indueretur, et sepulchrum paratum. Fuit tandem immortalis Dei clementia pristinae valetudini restitutus. Verum, dum ita se res haberent essemque in tanto luctu constitutus, quo omnia ad calamitatem meam optime quadrarent, (heia mihi! non possum hoc sine lacrimis scribere) Augustinus noster, noster inquam Augustinus, qui mea anima mihi carior, mea vita dulcior, mea salute iucundior erat, eodem morbo correptus paucos post dies diem suum obiit. O me miserum, o infelicem!—non tam quod talem amicum perdidi, quam quod ei morienti assistere non potui, qui aegrotanti mihi totiens astiterat—sed impediunt me lacrimae ne plura scribam, et refricatio vulneris dolorem auget. Haec sunt, mi Ioannes, quae ad te scribere, fortuna mea ita iubente, cogor. Dii nobis meliora! Quod si quo in statu nunc meae res sint a me quaeras, iam dies quindecim meliuscule me habui coepique, quod pluribus ante diebus non feceram, ambulare; et nisi temporis h[*umidit*]as impediret, iam * * * [2] Interea exspecto litteras tuas quae me, ut solent, consolentur et maerorem levent.

Simplicium nostrum iamdiu absolvi, vel potius numquam absolvi. Nam cum, ut saepius a me audivisti et memini te praesente me Summo Pontifici dixisse, unicum dumtaxat eius libri exemplar haberemus, mille in locis coactus sum relinquere fenestras et eas quidem saepenumero amplissimas latissimasque, adeo ut non ita fenestratum sit nostrum hoc palatium, quam ipse Simplicius. Puduit me ob eam causam pudetque mittere rem adeo deformem in conspectum praesertim tanti principis nollemque ut tale opus exiret manus meas aut a quopiam videretur. Neque enim ipsum puto, cum mihi ipsi non satisfaciat, cuiquam posse satisfacere. Spero tamen nos prope-

[2] The last half of the line in the manuscript that begins with *temporis* was lost when the bottom of the sheet was trimmed, perhaps at the time that it was first bound into the codex. The upper part of a few letters are discernible after *iam*; the next word may have been *belle* or *hollera*. In the address of the letter, reproduced below, which is written transversely on the bottom of the verso, the amount of writing lost at the ends of the lines and the probable loss of the word *Romae* (which would normally have followed the addressee's name and titles on a separate line) suggest that at least two lines at the bottom of the recto were completely lost when the sheet was trimmed. (The third line of the address has also suffered from abrasion.)

diem alium librum e Graecia habituros et eum quidem antiquum atque emendatum—ita iamdiu ordinavit hic princeps meus [3]—quod cum primum acciderit, repetam opus et fenestras, quas imperfectas reliqui, non tufo sed marmore aedificabo, ut opus non mancum sed perfectum expolitumque Summo Pontifici condonem. Interea oro te, mi Ioannes, ut eius Sanctitati persuadeas ne opus adeo deforme a me petat—numquam enim quiesceret animus meus—futurumque polliceare ut post aliquot dies, adveniente e Graecia eo libro, opus perfectum, limatum, integrum eius Sanctitas sit habitura.

Interim si Sanctitati eius videtur, mittat ad me Tatianum, de quo scribis, faciamque ut ad vos summa cum celeritate Latinus redeat, neque Simplicium imitetur, sed Epictetum, quem, ut scis, sine aliqua tarditate Latinum feci, et, si tibi videatur, mittere possum iam tersum limatumque ad Summum Pontificem. Tuum igitur erit Sanctitati eius persuadere Tatianum ad me mittat, ut habeam interea ubi ingenium exerceam—*μισῶ γὰρ τὸν κάματον.*

Reliquum est quod te mirum in modum oro ut genitorem meum, virum optimum et iam, ut Sanctitas eius novit, senem, ei totis viribus commendes. Postremo Laurentium [4] nostrum salvere iubeas horterisque ut, nisi adhuc libro indigeat, Gellium meum ad me mittat. Tatianum summo cum desiderio exspecto. Vale. Bononiae, pridie Kal. Decembr. MCCCCL.

Dediticius tuus
N. Perottus

Reverendo in Christo patri et domino [*suo*
singulari, domino Lo. Arretino [*subdi-*
acono ap[*ostolico et Summi Pontificis*
dignissimo cubiculario se[*creto*. . . .
[*Romae*

## II

Nicolavs Perottvs domino Ioanni Arretino salvtem. Non putavi esse necessarium ut ea ad te scriberem quae nuper nobis in illo nostro partim miserabili, partim iucundissimo casu acciderunt; nam cum omnia sint a principe nostro diligentissime ad Summum Pontificem scripta, non dubito te, qui nunquam ex eius latere rece-

[3] Bessarion.
[4] Valla.

dis, litteras eius omnes et vidisse et legisse. Periculum nostrum [5] certe maximum et vix cuiquam credibile fuit. Habemus tamen immortali deo gratias, quod victoria potiti sumus hostesque omnes cum summo dedecore tandem fugati, caesi, profligati sunt. Me si quo animo fuerim roges, fui certe maximo. Nam licet antea, studiis litterarum deditus, scribere potius quam bella sequi didicissem, licet humeri mei armis non essent assueti, tamen quandoquidem genus pugnae honestissimum erat, utpote qui pro Summo Pontifice pugnabamus, libenter me cuicumque periculo obiciebam, nihil magis quam fortem atque honestissimam mortem cupiens; accendebat et magis atque magis inflammabat animum meum fortitudo et magnanimitas principis mei, qui, incredibile dictu est, quam libenter, quam fortiter, quam expedite, in hostes quasi pugnaturus irruebat, increpando nostros, hortando, animando, consulendo.

Putas me iocari? Moriar nisi ita fuit. Itaque inter cetera incredibilia Summi Pontificis erga nos beneficia illud vel maximum iudicamus, quod nos antea togae dumtaxat assuetos armis quoque gloriosos fecit. Quo quid nobis gratius, quid iucundius accidere potuisset? Sed haec ad te latius alias; ὑπόθεσιν enim scribendi egregiam habeo.[6] Quos enim situs, quas naturas rerum et locorum, quos mores, quos cives, quas pugnas, quem vero ipsum imperatorem habemus! Nunc ea tantum scribam quae ad rem meam pertinent.

Epictetum meum legati Bononienses [7] afferunt, quem cum tibi videbitur et cum ita iusseris offerent Clementissimo Domino Nostro munusque tecum una verbis ornabunt. Non patitur amor noster ut rem meam pluribus verbis tibi commendem: ego omnem spem meam in te uno sitam habeo. Tatiani iam magnam partem in Latinum verti;

---

[5] The incident to which Perotti refers took place on 8 June 1451, when a party of Bolognese exiles, who were opposed to the Papal dominion over the city which formed part of the settlement of 24 August 1447, attacked and almost carried the town. A picturesque account is given in the *Chronica gestorum ac factorum memorabilium Civitatis Bononiae* of Hieronymus de Bursellis (in Muratori, *Rerum Italicarum Scriptores*, 2a. ed., Vol. XXIII, 2, p. 90): "Canetuli, Pepuli, Zambecharii, Vizani, coacto in unum exercitu suo, cum auxilio Corrigiorum et Carpensium, Bononiam ingressi sunt, fracta porta Galeriae. Cum autem usque ad Sanctum Petrum magna pars eorum conclamando venisset 'Canne, Canne,' a nostris impetu facto, reiecti sunt. Nam dominus Sanctes [et al.] . . . tantum terruerunt hostes, quod coëgerunt eos ad fugam. In ea fuga mortui sunt multi de parte Canetulorum," etc.

[6] It would be interesting to know whether Perotti ever wrote his projected narrative. He must have described the scene in his lost biography of his patron.

[7] The settlement of 24 August 1447, in consequence of which Bessarion became the Papal Legate (i. e. governor) of Bologna, gave to the city a rather illusory autonomy, including the right to send diplomatic envoys to the Holy See.

pergo quantum possum et quantum mihi per occupationes licet. Scis hoc non modo tempus sed etiam animum vacuum ab omni cura desiderare, quae duo quam sint in me et tu pro tua prudentia iudicare potes et oratores nostri tibi referent. Tuum erit tarditatem meam apud Romanum Pontificem, quantum fieri poterit, excusare. Clementissimus princeps meus Aristotelis *Metaphysica,* quae iam diu in Latinum verterat, superioribus diebus transcribi fecit, exspectatque redituros Venetiis regios oratores ut opus ad Maiestatem Regiam mittat. Dedicasset id longe libentius Sanctissimo Domino Nostro, nisi hoc iam multis annis ante Maiestas Regia (suorum, ut puto, flagitationibus adstrictus) hoc ab eo extorsisset. Addidit tamen ei prooemium quod non minus, ut mihi videtur, convenit Sanctissimo Domino Nostro, quam Regiae Maiestati. Eius exemplum ad te huic epistulae alligatum mitto, de quo velim mihi rescribas iudicium tuum; nam si tibi videbitur et si ita consules, clementissimus princeps meus id opus iterum transcribi faciet, quo etiam S. D. N. vel potius bibliothecam suam donare possit.

Reliquum est quod rem genitoris mei, de qua alias ad te scripsi et de qua nostri oratores alloquentur S. D. N., tibi plurimum commendo. Fac, oro te, mi Ioannes, ut pater meus, vir optimus et iam senex, antequam ad ultimum vitae suae diem rapiatur, hunc honorem, quem ille maximum iudicat, a S. D. N. consequatur.

Haec ad te, ut scriptio indicat, tumultuarie scripsi properantibus legatis. Vale. Bononiae, III Kal. Iulii MCCCCLI.

So far as my necessarily limited search has enabled me to ascertain, there are extant at least thirteen manuscripts which contain the text of Perotti's version of the *Enchiridion* of Epictetus. For the purposes of the present edition, it seemed desirable to disregard one of these.

Vaticanus Latinus 6526 was executed in the seventeenth century at the behest of Torquato Perotti, Bishop of Amelia, who intended to illustrate the name of his family by publishing the minor works of his distinguished forebear.[1] A marginal note informs us that the text of the *Enchiridium* included in this manuscript was copied from Vaticanus Latinus 3027 and another manuscript, which Mercati[2] identifies as Vaticanus Latinus 6847; Torquato's copy, therefore, can have no independent value, and its late date deprives it of even the incidental interest that might be attached to a Renaissance transcription.

The remaining twelve manuscripts are described briefly below in the alphabetical order of the symbols by which it was convenient to designate them; their interrelationship is shown by the *stemma* which follows the descriptions.

**A** Ambrosianus L.27 consists of two of Perotti's translations. The inside of the front cover is inscribed *Epicteti enchiridium.* | *item* | *Plutarchi de fortuna Romanorũ* | *Et in utrũq; Nicolai Perotti* | *praefatio.* | *an. 1473.* | *Felicibus auspicijs Illmi. Card. Federici Borrh.* | *Olgiati uidit anno 1603.* The date here assigned to the manuscript was obviously supplied from the notation which appears at the end of the text, "20 Febr. 73." According to Sabbadini,[1a] f. 59$^{v}$, which by some oversight was not reproduced in the rotographs which I have used, contains the following verses:

Divus Epictetus animos et pectora format.
Hic animo liber, cetera servus erat.

[1] Leonis Allatii *Apes Vrbanae*, Romae, 1633, p. 246, where it is announced that Torquato was going to publish these *opera vaga*: "typis propediem uulgaturus." The book never issued from the press. L. Hervieux, in *Les fabulistes latins*, Vol. I, p. 104, did not sufficiently consider that there are more slips between the manuscript and the bookstalls than between the more commonly mentioned cup and lip.

[2] *Per la cronologia della vita e degli scritti di Niccolò Perotti*, Roma, 1925, p. 138.

[1a] *Giornale storico della letteratura italiana*, Vol. L (1907), pp. 52 ff.

Corpore mancus erat, sed dis gratissimus idem.
Nunc refrigeriam [2] gaudet habere domum.

There is no reason to suppose that these couplets should be attributed to Perotti, who, although his abilities as a versifier were not great, could doubtless have improved on them.[3]

The text is copied in a rather coarse hand, with no attempt at elegance, and with a fair degree of accuracy. There are a few instances of haplography and dittography. Some corrections were made by the scribe; others are in a later hand which clearly belongs to a reader who was seeking to mend the text without recourse to other manuscripts. The spellings are predominantly mediaeval, e. g. *hiis* (which frequently replaces even *is*), *hec, que* (for *quae*), *vicium, rethor,* with some admixture of the more correct forms, including occasional use of *æ,* which were being revived by the Humanists.

**B** Barberinianus Latinus 49, which consists of Perotti's *Enchiridium* followed by his version of Plutarch's *De Alexandri Magni fortuna aut virtute,* must be numbered among the finest products of Renaissance calligraphy. Its elaborate illumination, lavish margins, polychrome titles, and text written in large, regular characters which combine elegance with strength, show that no expense was spared to please the eye. A medallion in the right margin of the first page bears a portrait so colored that my photographs do not enable me to determine whether the subject is Epictetus, Perotti, or the first owner of the codex. At the bottom of the page this owner's arms are depicted above what seems clearly to be a biretta surmounting either a folded ecclesiastical vestment or the upper part of a globe. The arms are a lion rampant on a dark field, charged *en chef* with a label between whose pendents appear three fleurs-de-lis. The design is similar to the arms of the Episcopacy of Massa or to those of Ventura de Abbattibus, who was Bishop of Forlì in

[2] Sabbadini prints *refregeriam* and remarks "il secondo pentametro mi rimane oscuro." We have here an adjectival use of the common, if bizarre, Christian metaphor for post mortem felicity (e. g. Cypriani *De mortalitate,* 15: "non est quod putetis bonis et malis interitum esse communem: ad refrigerium iusti vocantur, ad supplicium rapiuntur iniusti"), which was probably derived from *Psalmus* 66, 12: "Transivimus per ignem et aquam: et eduxisti nos in refrigerium." Cf. Alfons Maria Schneider, *Refrigerium I,* Freiburg im Breisgau, 1928.

[3] It is true that the verses are of some interest for their evident reminiscence of the anonymous epigram on Epictetus in the *Anthologia Palatina* (VII, 676):

Δοῦλος Ἐπίκτητος γενόμην, καὶ σῶμ' ἀνάπηρος,
καὶ πενίην Ἶρος, καὶ φίλος ἀθανάτοις.

1463, but the lion is certainly not argent, and bears on his shoulder what appears to be a crescent moon in gold or silver, while only two bright dots are discernible on my photographs to indicate the presence of some object before his nose. With the exception of the gold, the several colors employed all register as black in a photograph, and, since I can find no published description of, or reference to, this manuscript, I cannot distinguish them with any certainty. I have been able to find no corresponding arms registered in A. Ciaconio's *Vitae et res gestae Pontificum Romanorum*, Ughelli's *Italia sacra,* or various minor works, and must accordingly confess that I am unable to identify the archbishop or cardinal for whom this luxurious codex was made. The date, therefore, must be left within rather wide limits; the manuscript must be later than January, 1452, since Perotti is styled *poëta laureatus,* and earlier than November, 1495, when **N** was copied from it. It is, of course, somewhat improbable that **B** was new and in the possession of its first owner when **N**, a personal copy made by an undistinguished man of low rank, was transcribed from it.

The text of **B** shows marked affinity to that of **H**. The two have a number of peculiar readings in common, and, since neither can be a copy of the other, a common ancestor must be assumed. The text of **B** is written with such care and accuracy that one is tempted to assume the existence of an intermediate manuscript to absolve the scribe of responsibility for the three instances of haplography that are its only serious blemish.

The orthography is far more correct than that of **H**, which has many mediaeval spellings, and, aside from some uncertainty whether *œ* should be written with capital letters (so that we find PREFATIO and PRÆFATIO, GRECO and GRÆCO in titles, *Edes* and *Aegrotatio* in the text), highly consistent. Since the great care manifest in the transcription of **B** may render it of some value to those interested in such matters, I here present, for use in connection with the similar list which I have provided for **F**, a list of all the words in which **B** has a spelling different from that found in my text.

adhereo
cæpi (= cepi)
cæteri
cæterum
capesco, capesso
cepi (= cœpi)
circunscribo
cœna
condictio
condictionalis
dirisio
duntaxat
emulatio
exilium
expecto

expuo
fœliciter
fœlix
illachrimo
imolo
infœlix
in primis
insaciabilis
iusticia
maleus
mœreo
nanque
nonnunquam
nunquam
ommitto
oportunitas
palestra
porfyreus
præcæptum
preciosus
predico
presagio
prohemium
puditicia, pudicitia
pulcher
qualiscunque
quanquam
quero (= quaero)
quicunque
retuli
sepero
signis (= segnis)
solicitudo
solicitus
subijcio
tanquam
tristicia
unquam
utrunque

F Sandaniele del Friuli (Biblioteca Comunale), 204, a fine specimen of the Renaissance *livre de luxe,* contains only the two translations by Perotti which so often accompany one another: the *Enchiridium* and the *De fortuna Romanorum.* Only the first of these is reproduced in the photographs which I have used. The first page has, in addition to a handsomely illuminated initial, a polychrome border of floral designs, and a gracefully painted miniature, a coat of arms set in a medallion in the panel at the bottom. The escutcheon bears on a dark ground, probably gules, a lion of light color salient above the edge of a light-colored ladder which, displayed toward the spectator, traverses the shield like a bend. Aside from a slight variation in the shape of the shield and relative size of the ladder, the arms are identical with those reproduced in the plates which supplement Cardinal Mercati's study and indubitably are Perotti's. The arms correspond also to the official description given in the imperial patent of June, 1460, by which the Emperor Frederick III authorized Perotti to quarter his arms:

> Arma tua hereditaria, seu quibus hactenus uti consuevisti, videlicet scutum rubei atque in ea scalam in angulos oblique se respicientes erectam crocei seu glauci ac leonem huiusmodi scalam scandentem albi coloris, decrevimus singulari quadam additione exornare. . . .[1]

We may be certain, therefore, that this handsome parchment codex, with its wide margins, generously spaced lines, and careful calligraphy, was a fine copy produced for Perotti's own library. Since

[1] The patent is quoted by Mercati, *op. cit.*, p. 7.

the escutcheon bears the simple "arma hereditaria" without the quartering authorized by the imperial patent, we may infer with considerable confidence that the manuscript was produced before June, 1460, and it must be later than January, 1452, when the title *poëta laureatus*, which appears in the subscription to the preface, was bestowed on Perotti. Furthermore, since the text incorporates a slight revision made by Perotti (*praef.* 2) which does not appear in V, it follows that, if V, as seems likely, was transcribed from Perotti's personal copy, F was transcribed from that copy after January, 1454, which is the earliest possible date for V, and at which time, presumably, the revision had not yet been made.

There is a considerable probability that F may be an autograph. Using as a standard of comparison portions of Vaticanus Latinus 6848 and the greater part of Ottobonianus Latinus 2842, which are identified by the great authority of Cardinal Mercati as manuscripts copied by Perotti himself, I incline to the opinion that despite certain differences (e. g. the scribe of F always completes the upper loop of an *e*, whereas the scribe of the Ottobonian manuscript in many combinations leaves the *e* open, producing a lunate epsilon), the three texts are the work of the same hand. (The illuminations of F and the Ottobonian manuscript, by the way, are almost certainly the work of the same artist.) A categorical statement that F is autographic could certainly be defended, but several considerations impel me to avoid all dogmatism. (1) A calligraphic hand is necessarily an artificial and imitative style of writing, and in Renaissance Italy with its innumerable professional and amateur calligraphers, all seeking to attain elegance by imitating certain models, positive identification of the work of an individual scribe may be somewhat hazardous. (2) So far as I know, our only attested specimen of Perotti's calligraphy (as distinct, of course, from both his cursive and his ordinary "book" hand) is Urbinas Latinus 1180, which, according to the subscription, was copied by Perotti *quum duodevicesimum aetatis suae annum ageret.* There are some differences between this hand and the later manuscripts, although none which could not be explained by the writer's age at the time of writing. (3) Perotti, even early in his career, normally relied on professional scribes for good copies of his work.[2] (4) If Perotti copied F, he did

[2] E. g. in his letter of November, 1453, to Tortelli, he says: "Tertium librum Polybii . . . absolvi: librarius eum in manibus habet; satis lentus est."

so as a copyist, rather than as an author, reproducing from his exemplar (as is shown by the evidence of the other manuscripts) some palpable errors and paragraphing the text for appearance rather than sense. It is indeed curious that F, like the other manuscripts, presents in *En.* 30 two errors which must be copyist's corruptions, and which seriously impair the sense of the passage.

Whether or not F is, as I am inclined to believe, an autograph, it may be regarded as having the authority of an autograph (which is high, but not, of course, absolute, since no divine power preserves authors from *lapsus calami*), for it is highly probable that Perotti read the finished copy with some care and himself made the corrections which were made subsequent to the time of writing. (Certainly no one would by inadvertence write *condictio* four times in five pages and each time correct it to *conditio* by cancellation.) Some of the corrections are author's revisions. The clearest instance is the soloecistic *quae* which in F (*praef.* 6) has been corrected by erasure to *qua*. As is obvious from the unanimity of the other manuscripts and from the structure of the preceding sentence, Perotti must have written *quae* in his original text; and since it is clear from the *Cornucopiae* that sometime before completing that work he had learned that the construction is not permissible in good Latin, it is highly probable that it was he who made the correction here. (He did not, however, eliminate the less obvious soloecism in the preceding sentence, where, since *quae* had to be retained as the subject of *sanari possunt*, it would have been necessary to recast the entire sentence and thus make alterations that would seriously have marred the beauty of the page.) A similar instance of erasure is the correction of *offeritur* to *offertur* in *En.* 10. Such corrections I have, of course, reported in the apparatus.

The orthography of F is much more correct than that of any other manuscript, with the exception of B. It is also, by the way, more correct than that of some of Perotti's letters which are extant in the original autograph, but this need excite no astonishment, for these letters are of earlier date, and all Humanists naturally strive to reproduce the orthography of Classical Latin, from which they depart only when misled by the evidence available to them. Presumably, therefore, the orthography of F likewise differs from that of Perotti's original copy of his translation, which is no longer extant, and, although nothing is clearer than that the scribes of the other manuscripts used, except by inadvertence, the spellings which they regarded as correct instead of those which they found in their exemplars (for we should otherwise have to suppose a whole series of copies by Perotti with drastic orthographic changes made in each), it is possible that some vestiges of the original orthography might be recovered by considering the inconsistencies in each manuscript with reference to the orthographic changes which might be observed from year to year in the autographic letters of Perotti. This task I gladly relinquish to the savants of Laputa.

Since I have sought to avoid encumbering my apparatus with merely orthographic differences, I here list, for the benefit of those who may be interested in the spellings which Perotti presumably considered correct at the time that **F** was produced, all the words which in **F** have a spelling different from that found in my text or reported from **F** in my apparatus. I also note that the diphthong is used in titles (PRAEFATIO, GRAECO), but not with capitals in the text (*Egrotatio, Edes*).

Appolo
caeteri
caeterum
cepi (= coepi)
coena
coepi>cepi
comunitas
condictio>conditio
condictionalis>conditionalis
convitior
delitia
diggero, digero
duntaxat
egrotus
emulatio
exilium
expecto
foeliciter
foelix
illachrimo
imo (= immo)
imolo
infoelix
interogo
iocundus
Iupiter
ledo
lesus
letor
maleus
moereo (*infin.* moerére)
nanque
negociator
nonnunquam
nunquam
ommitto
palestra
porfyreus
preciosus
predico
premium
presens
pulcher
qualiscunque
quicunque
retuli
solicitudo
solicitus
subijcio
summo (= sumo)
tanquam
unquam
utrunque

**H** Harleianus 4923 is a bulky fifteenth-century miscellany, which begins with "Malchi Monachi Vita," and includes among many translations from the Greek four by Perotti: Plutarch's *De*

*Alexandri Magni fortuna* and *De differentia inter odium et invidiam*, Basil's *Oratio de invidia*, and the *Enchiridium*. The order in which these appear was probably dictated by a desire to have Perotti's translations from Plutarch immediately follow Guarino's translation of Plutarch's *De liberis educandis*, and then to juxtapose the two essays *de invidia*, and finally to keep Perotti's translations together in one unit. The *Enchiridium* was thus placed last, occupying ff. 276$^{v}$-285$^{r}$. The scribe has systematically rewritten to his own formulae all the colophons in this part of the collection; no significance, therefore, attaches either to the omission of the subscription at the end of Perotti's preface in which he is styled *poëta laureatus* or to the error in the colophon which terminates the *Enchiridium* and reads: "Explicit Nicolai p(*er*)otti traductio s(*er*)mo(*n*)um epicteti ph(*ilosoph*)i."

The text is written in a small, precise hand, and a certain elegance is obtained by ample margins, careful spacing, and the avoidance of all ornamentation. The writing is highly compressed with many compendia and abbreviations, and often comes dangerously near to ambiguity, since some symbols have two or even three values. The orthography is, for the most part, regular, but the diphthong *oe* is not used, and *ae*, which usually appears where required as an inflectional ending, is almost never used in the body of words.

**L** Laurentianus XLVIII.xxxvi, which contains only the *Enchiridium* transcribed in a neat, regular hand, bears on its final page the colophon: FINIS | IOANNES FRANCISCVS MAR-|TIVS GEMINIANENSIS HṼC | LIBELLVM PETRO RODVL|FIO ADOLOSCENTI NOBI|LI AC BÑ̃FACTORI SVO | SINGV$^{mo}$: DONO DEDIT;— The giver of the gift must be the Franciscus Martius who signed several codices now in the Laurentian Library, all, apparently, from the middle part of the fifteenth century.[1] Petrus Rodulphius was evidently a friend of the precocious and ill-fated young scholar, Michael Verinus, who died in 1483 at the age of eighteen. Several letters from Verinus to Rodulphius are extant,[2] in which, it is evident, Verinus was addressing a man considerably his senior. Even allowing for the elasticity of the term *adulescens*, it seems unlikely, therefore, that **L** can be later than c. 1470. It is certainly later than January, 1454, the earliest possible

[1] *Catalogus codicum manuscriptorum Bibliothecae Mediceae Laurentianae*, I. 16 and 47; II. 688.
[2] *Ibid.*, IV. 468-70.

date of **V**, from which it was copied, either directly or through an intermediary manuscript. It reproduces all of the rather numerous instances of haplography in **V**, and most of the errors, adding a few of its own. The possibility of an intermediate manuscript is suggested particularly by the fact that **L** shows no trace of the dittography in *En.* 4 which appears in **V** without cancellation or other warning sign, and by the consideration that **L** has a long dittography in *En.* 25 which cannot easily be explained on the basis of the disposition of lines and pages in **V**. As will be seen from the apparatus, the scribe of **L**, or of the supposed intermediary manuscript, made a number of attempts to mend his text, obviously by rather free conjecture and without recourse to another manuscript. There is no evidence of correction by a second hand. Except in inflectional endings of the first declension, in which *æ* and *e* are regarded as interchangeable symbols, the orthography is remarkably consistent, and is clearly that of the scribe himself, since only those peculiarities of **V** which coincide with his system are preserved.

Although clearly devoid of authority for the establishment of the text, **L** is of some interest as a specimen of the freedom with which Renaissance scribes could treat a text, and it may possibly be the source of other manuscripts or excerpts unknown to me; for these reasons, its readings have been reported in the apparatus.

**M** Monacensis 3604 is a fifteenth-century miscellany of more than usually varied contents. Beginning with " Ovidii fabulae ethico more explicatae cum tabula alphabetica," it includes, *inter alia,* the Donatian *Vita Vergili,* a commentary on Jerome's preface to the Vulgate, an anonymous essay *De compendiis scribendi Romanis,* the notorious *Sermones antiqui* of Fulgentius, Basil's *De vita solitaria,* Marsuppini's translation of the ninth oration of Isocrates, Leonardo Bruni's *De militia,* and what purports to be a collection of letters by Diogenes. Perotti's *Enchiridium* begins on f. 118$^{r}$ and is followed by the *De fortuna Romanorum.* At a much later point and evidently derived from a different source appear Perotti's *De metris* and an anonymous essay " De origine urbis Bononiae," which is probably identical with Perotti's letter on the same subject.

For some strange reason the *Enchiridium* and the *De fortuna Romanorum* are in this manuscript entirely anonymous; the names of Perotti and Simplicius do not appear at all, while those of Epictetus and Plutarch are to be found only in the text of Perotti's prefaces. As a consequence the printed catalogue of the library fails to identify the *Enchiridium*, describing this part of the manuscript as " Epicteti praecepta moralia cum prologo et epilogo [!] translatorio [!]." It is possible, of course, that the complete absence of titles and subscriptions may represent nothing more than failure of the rubricator to supply them, but the large initial capitals have been added throughout the text and there is very little space in which titles could be placed, so that one is tempted to infer that the omissions were intentional.

The text of **M** belongs to our only clearly defined family of manuscripts. (**L** and **N** are merely copies of **V** and **B**, respectively, while the relationship of **H** to **B** and of **W** to **R**, although implying that each pair had a common antecedent not now available, is less striking.) The texts of **M**, **P**, and **T** are very closely related; a glance at the apparatus will show how frequently these manuscripts are in agreement against all others, while the occasional differences are sufficient to preclude the possibility that any one of the three was copied from either of the others. It is necessary, therefore, to postulate the existence of a manuscript not otherwise known to me, which I have designated as η in the *stemma*, from which these three were copied. The text of η, which can, of course, be recovered from the consensus of **M**, **P**, and **T**, was reasonably sound, although it exhibited in several places corruption by ordinary scribal error, and in Simplicius 3a a curious injection of the copyist's own opinions into the text, although it is not clear whether he was a pessimist who lamented his contemporaries' insufficient attention to philosophy, or a pietist who held that philosophy in a Christian world could not serve as a substitute for religion.

Almost equally striking is the frequent agreement of **MPT** with **A** against the remaining manuscripts (e. g. *praef.* 4: *in ibi* for *mihi*; *En.* 29,3: *victu* for *motu*; *En.* 40: *dormire* for *dominae*), which can be explained only by the assumption that **A** and η were descendants of another manuscript, now lost or unidentified, which I have designated as ζ. This manuscript, as shown by the subscriptions in **A**, **P**, and **T**, in which Perotti is styled *poëta laureatus*, must have been produced after January, 1452.

The descendants of η are related not only textually, but also graphically. The three manuscripts are written in a clear ' book ' hand without calligraphic pretensions, and although the style of writing is one that is very frequently found in fifteenth-century manuscripts and must have been used by hundreds of professional scribes throughout Italy, I am inclined to believe that the three manuscripts are the work of one hand, and that the slight differences which are to be observed on close inspection can be accounted for by assuming that the three copies were made at intervals of time—say one to five years—sufficient to permit slight changes in the scribe's practice without altering the general characteristics of his work. Of the three copies of $\eta$, **M** is clearly the earliest.

In my description of **F** I have called attention to the very slight revision made by Perotti in his preface (2-3) to eliminate the use of the word *aegrotatio* in violation of the definition given by Cicero, and pointed out that this revision was probably made after January, 1454, and certainly before June, 1460. Now it is evident from the text of **P** and **T** that sometime after **M** had been copied from $\eta$, someone—certainly not Perotti himself, but presumably acting on his instructions—entered this revision in $\eta$ and, misunderstanding the purpose of the change, went on to replace the word *aegrotatio* in a later section of the preface (6) where it is required by the very distinction of meaning that Perotti was trying to observe. That the change was made at Perotti's request seems a necessary inference; had $\eta$ been collated with another manuscript, other corrections would surely have been made and reflected in the text of **P** and **T**. It seems unlikely that so small a point would long engage Perotti's attention; he probably noticed his violation of the Ciceronian definition, made the correction in his own copy (the source of **F**), and at about the same time asked the owner of $\eta$, presumably a friend or associate, to make the change in his copy. On this assumption, **M**'s date must fall between 1452 and 1460, and **P** and **T** are probably later than January, 1454.

If the three manuscripts are the work of the same scribe, there are slight indications that **P** is earlier than **T**. In **M** and **P**, for example, he normally writes *prhorsus* and *obolus*, in **T**, *prohrsus* and *obulus*; in **M** and **P**, *V* is less angular than in **T**, and the large *h* less rounded. Perhaps it is reasonable to assume an interval of four or five years between **P** and **T**, and to assign them to 1454-65.

Since the three manuscripts were copied from the same exemplar by the same scribe, it is not astonishing that they exhibit essentially the same system of orthography. They are, in this respect, the most

'Mediaeval' of the manuscripts. The diphthongs *ae* and *oe* never appear; other characteristics are, perhaps, sufficiently illustrated by the following examples: *prefacio* (noun), *intencio, dubitacio, carencia, uicium, pacior, sencio; epitetus, hattenus; penistulo; capittulum; auffer, tollerancia, tollerari; contempnere, dampnosus; dumtaxat, tamquam, quecumque; subicere; interiuntem, colligisset; ymaginacio, ymo* (= *immo*), *ydiota, symea; ortentur*; occasionally *quot* (= *quod*). In **M** the scribe wrote *inmortalis, conplexus, conposuit,* but in the later manuscripts the *n* is replaced by *m*.

**N** Florentinus (Biblioteca Nazionale Centrale) II.vii.125 is a Humanistic miscellany which begins with Aelian's *De instruendis aciebus* and includes two of Perotti's translations. The text of the *Enchiridium* is quite precisely dated by the subscription: *Mcccclxxxxv Pridie nonas nouẽbris festinãte | calamo Pyrrhus uizan9 Bõñ transcripsit.* It is followed by Plutarch's *De Alexandri Magni fortuna aut virtute,* which Vizanus had transcribed "perquam currenti calamo" two days earlier.

Both texts are clearly derived from **B**, and there are definite indications that Vizanus copied directly from that beautiful manuscript.[1] Although **N** has, therefore, no independent value, it may be the source of some manuscript which I have not examined, and I have therefore reported in my apparatus its readings, including the few interlinear variants which I designate as $N^2$; these are clearly conjectural emendations, and were probably added by Vizanus himself when, at some later date, he read his transcription.

It is interesting to note that Vizanus, although his statement that he worked in great haste is amply confirmed by the numerous cancellations and corrections made in the process of copying, evidently imposed his own orthographical standards, changing the spellings which he found in **B** to write, e. g. *Ædes* (with capital), *æmulatio, palæstra, rhætor, felix, feliciter, autoritas, conditionalis, rettulisset, illachrymes.* As he neared the end of his transcription, he unaccountably decided to write *filosofus, filosofia.*

**P** Pragensis VIII.H.30 is a fifteenth-century codex (No. 1648 in Truhlář's catalogue[1a]) which contains the *De situ orbis* of Pom-

---

[1] E. g. the scribe of **B**, beginning a new paragraph with *En.* 26, correctly wrote *aturæ,* but the rubricator prefixed an *M* instead of an *N*; Vizanus copied *Mature.*

[1a] *Catalogus codicum manu scriptorum qui in C. R. Bibliotheca Publica atque Universitatis Pragensis asservantur,* auctore Josepho Truhlář, Pragae, 1905.

ponius Mela, a geographical extract from Paulus Orosius, Perotti's versions of the *Enchiridium* and *De fortuna Romanorum,* and finally the *Descriptio Romanae urbis* which bears the name of Sextus Rufus.[2] The text offered by this manuscript has been described above in connection with that of **M.**

**R** Angelicanus 1371 (T.5.9) is a fifteenth-century miscellany in which Perotti's *Enchiridium* is preceded by an anonymous "Breve ac perutilis philosophiae commentum," which seems to deal principally with meteorological and astronomical questions, and followed by the pseudo-Ciceronian *De synonymis,* a letter by Filelfo, and a medical treatise with some annexed material. The text of Perotti's translation was copied by a scribe who has exhibited on every page an extraordinary combination of ignorance and negligence, often corrupting the text to unintelligibility. The orthography is barbarous; such spellings as *egigus* (*exiguus*) and *clocleis* may be attributed to mere negligence, but the following represent errors made so frequently that they may be taken to represent the scribe's own notions of Latinity: *impedo* (= *impendo*), *costo, demostro, istrumentum; ingnobilis, ingnorare; otempero, aquiro, astineo, amiror; siens* (= *sciens*), *consium; dexidero, laxciue, protrasseris, deuinsit; proibeo, exibeo, umanus.* The scribe seems to have taken his text of the "*Encridium*" from a manuscript which may also have been the source of **W**. The marginal notes of **R** seem to be derived from the notes common to **FAVW**, but some changes and additions have been made. If I am correct in reading *dendo* in the marginal note to *praef.* 11 (it is not impossible that the crowded letters were intended to be *decielo*), where the meaning obviously requires *de caelo,* it would seem that the scribe copied with his usual negligence these additional glosses, rather than added them himself. These additions could, however, have been made in the margins of the source after **W** had been copied from it, so that it is unnecessary to assume an intermediate manuscript between that source and **R.**

---

[2] I have examined only photographs of ff. 70ᵛ to 111ʳ, for which I am deeply indebted, first, to the officials of the Preussische Staatsbibliothek, who, in a time of war, not only procured the reproductions, but, when it proved impossible to send rotographs, substituted film and sent it, although circumstances made it unlikely that payment for it could reach them; and, second, to the great kindness and skill of the late Col. A. J. McGrail, U. S. A., who provided me with legible prints from a film that had been seriously damaged by chemical tests to which it had been subjected by some censorship on its way to this country.

**T** Tridentinus 3224 (in the Museo Nazionale), formerly Vindobonensis Palatinus 305, is a fifteenth-century miscellany which begins with "Sexti Rufi Historia Romanorum." It was originally the property of Johannes Hinderbach († 1486), but bears, so far as I know, no indication that it was acquired by Hinderbach after he became Bishop of Tridentum in 1465.[1] Its text of the *Enchiridium*, which is, as usual, followed by the *De fortuna Romanorum*, has been described above in connection with **M**. There remain to be noted here only certain details which are irrelevant to the text-tradition of Perotti's work.

In addition to the few corrections made by the scribe in the course of his work, **T** exhibits a number of emendations, occasional interlinear glosses, and numerous marginal annotations, all in the crabbed and sometimes illegible hand of Bishop Hinderbach. The marginalia, so far as I can determine (for many of them are now so faded that they appear only as vague and amorphous shadows on my photographs), are devoid of interest, except, perhaps, to a biographer of Hinderbach. They range from brief indications of the contents of the paragraphs opposite which they are placed, such as the note on 48, 1, "que inter vulgus & phylosophum differentia," to such inferences as "ostentatio fugienda" (on 33, 8) and "omnis fortuna homini forti ac magnanimo indifferens esse debet [?] & equanimiter ferenda est" (on 32, 2). A long note below the first paragraph of Simplicius shows that Hinderbach was uncertain whether the Arrian there mentioned was the one "qui vitam allexandri magni descripsit," and I find no indications of greater learning in the other notes which I have read. It seemed pointless, therefore, to encumber an edition of Perotti's translation with a report of Hinderbach's profuse and mediocre comments. I have, however, designated as $T^2$ and reported in my apparatus the changes, all obviously conjectural, which Hinderbach made in the text itself, excluding, of course, his occasional resolutions of the scribe's compendia, and strictly orthographic changes (*quidpiam* consistently for *quippiam, obmittas* (!) for *omittas, reddita* for *redita*, etc.). I have also reported the interlinear additions which, although probably intended as glosses, are not formally distinguished from the emendations, and could therefore have entered the text of a copy of **T**, if one was made. Interlinear additions which are distinguished as glosses are not reported. The

[1] My photographs include only ff. 21-59.

readings of $T^2$ are, of course, valueless for the establishment of the text, but may possess some slight intrinsic interest. No great respect will be felt for the learning which did not recognize *quî* in *qui scire potes?* (45) and accordingly " corrected " the text to read *quid.*

**V** Vaticanus Latinus 3027 is a handsome manuscript of one hundred and eighteen folios, all written in a clear and graceful script by a single hand, which is almost certainly that of a professional scribe who executed the entire manuscript at the order of its first owner, whose arms appear in the decorative panel at the bottom of the first page. The shield bears the six bars, alternately gold and black, which were the device of Jean Jouffroy, who became Cardinal of Arras. The episcopal mitre which surmounts the escutcheon is clearly an indication that **V** was produced before Jouffroy received the cardinal's hat in December, 1461, and the fact that the manuscript contains a copy of Perotti's letter to Costanzi [1] shows that it is later than January, 1454.[2] The codex begins with Perotti's *Enchiridium* and *De fortuna Romanorum*; these are followed by " Prisciani Caesariensis liber de situ orbis " and " Prisciani grammatici De versibus Terentianis "; the remainder of the manuscript is devoted to various writings by Perotti, viz. *De metris, De generibus metrorum quibus Horatius et Boëthius usi sunt,* the letter to Bartolomeo Troiano, the *Iusiurandum Hippocratis,* the letter to Costanzi da Fano, and versions of the " Epigramma Ptolemei," two by Perotti and one ostensibly by his brother Elio. The circumstance that all the miscellaneous compositions collected in the last part of the volume were written in 1453, with the exception of the letter to Costanzi, which belongs to January of the following year, suggests that **V** was probably executed in 1454, for it is likely that a collection of *opuscula* made at a later time would have included later work. We can also infer with some assurance that the whole of **V** was copied either in Perotti's library or from manuscripts lent by him. Another codex made for Jean Jouffroy and similarly embellished with his arms and episcopal mitre is Vat. Lat. 1485,[3] which, accord-

---

[1] Sometimes called " Epistola de ratione studiorum suorum "; for this and other works by Perotti, and their association in various manuscripts, see the bibliography annexed to this volume.

[2] On the date of this letter, see Mercati, *op. cit.*, pp. 24 f.

[3] Mercati, *op. cit.*, p. 31, n. 4.

ing to Sabbadini,[4] was copied directly from Urbin. Lat. 1180; the latter is a manuscript which Perotti copied with his own hand for his own use and decorated with his arms " quum . . . duodevicesimum aetatis suae annum ageret," [5] i. e. late in 1446 or early in 1447, and which, in all probability, formed part of his library in 1454. The only part of **V** that is not by Perotti is devoted to the two shorter works of Priscian, and we know that in 1453 Perotti was in possession of a manuscript of these works.[6]

The text of **V** was copied with some care and with relatively few mistakes, most of which were evidently noticed and corrected by the scribe at the time of writing. There is no evidence of later correction, either by his or another hand; one dittography of seven lines in *En.* 4 and eight fairly serious omissions by homoeoteleuton thus escaped notice. The scribe was uninterested in orthography and hence quite inconsistent in his spellings, although he seems to have a preference for diphthongs in *saepe, quae, caetera,* and *foelix,* and for *t* instead of *c* in such words as *conditionalis,* and to have disliked double consonants. But he is never concerned by such inconsistent juxtapositions as *curœ anime* and *quœ concesse sunt,* and he even permits himself to write *Alcibiadœ* (ablative) and *propriœ* (adverb), doubtless because he thought the distinction between *e* and *œ* of no real importance.

**W** Vaticanus Latinus 6847 contains only works by Perotti. The first five folios, written in a neat and precise hand which does not appear in the main body of the manuscript, contain the letter which Perotti wrote on behalf of the College of Cardinals to the King of Naples in June, 1456, his translation of a letter by Bessarion to Buonconte di Montefeltro (1456), his own letter to the same " illustrious youth " (1456), two letters to Giacomo Schioppo (1453-54 or -55), two short letters to Elio Perotti, and the beginning of an attempt to transcribe the collection of his own epigrams which

[4] *Studî italiani di filologia classica,* Vol. XI (1903), pp. 288 f.

[5] Perotti's autographic colophon to the manuscript in question, which is a collection of grammatical works, beginning with " Consulti Chirii Fortunatiani Artis Rhetoricae Scholasticae Liber Primus."

[6] This is the manuscript which afforded a pretext for the first open quarrel between Perotti and Poggio Bracciolini; Poggio's version of the story is given in his *Invectiva in infamem pusionem,* which has been published in the *Giornale storico della letteratura italiana,* Vol. LX (1912), pp. 85 ff.; cf. Perotti's *Invectiva in Poggium Florentinum* in Giannandrea Barotti's *Miscellanea di varie operette,* Venezia, 1744, Vol. VIII, pp. 201 ff.

Perotti made sometime between 1454 and 1456. Here, however, the copyist's interest soon flagged, for under the title "Nicolai perotti epigrãmata incipiunt" he copied only the first two epigrams, and then desisted, leaving blank the greater part of f. 5v. On f. 6r is drawn a large symbol, a globe surmounted by an episcopal cross, above which a coarse, retrograde hand has written in large irregular characters ΒΑπΤΰϛΗ : Μαρτϊνώκϊŏ:—quite possibly the name of a member of the family of Perotti's sister-in-law.[1] The remaining pages are blank to f. 10r, where an irregular hand began a hasty transcription of the *Enchiridium*. Having concluded this and added a pious, if misspelled, Αμιν, the same writer, whose hand rapidly deteriorates to a hurried and careless scrawl, copied the *De fortuna Romanorum*, concluding it and the manuscript with a scribbled τελεωσ, which he probably intended for τέλος.

The scribe in his haste made many errors, but noticed and corrected most of them at the time of writing, e. g. having written *causas*, he cancelled it at once with an impatient stroke of the pen and wrote the correct *casus*. There are also sporadic corrections by a later hand. As a result **W** presents a fairly accurate text that is independent of the other manuscripts here collated, since it is clearly not a copy of any one of them. Aside from numerous errors resulting from careless duplication of supralinear or sublinear signs (e. g. *frãctũ* for *fractum*) and improper word division, such as *ante* (= *an te*), *acrem* (= *ac rem*), *se cedere* (= *secedere*), *per inter ualla*, and *adelitias* (= *ad delicias*), which probably show nothing more than haste, the spellings show confusion and uncertainty, rather than indifference to orthography. The following examples will indicate the principal characteristics to be noted in addition to the sporadic use of *e* for *ae* or *oe*: *imo* (immo), *tiranis, celerime*; *summere, cassibus, opptime*; *ausilium, iusta* (iuxta); *conptenseris* (contempseris), *comptentere* (contemnere), *comptentus* (contemptus); *distintam, sito* (scito), *disiplinarum; alico* (aliquo), *quoram* (coram), *comodo* (quomodo); *phylosophus*. The mediaevalism *nichilo* was written once, but was corrected.

[1] A Giambattista Martinozzi, Podestà of Sinigaglia in 1470, who may have been related to the Elisa Martinozzi whom Severo Perotti (brother of Niccolò) married, is mentioned by Mercati, *op. cit.*, p. 10. Perotti's secretary, Maturanzio, in letters preserved in the Vatican and quoted by Mercati, p. 45, refers to some unidentified friend as "Martinotius noster."

STEMMA CODICVM

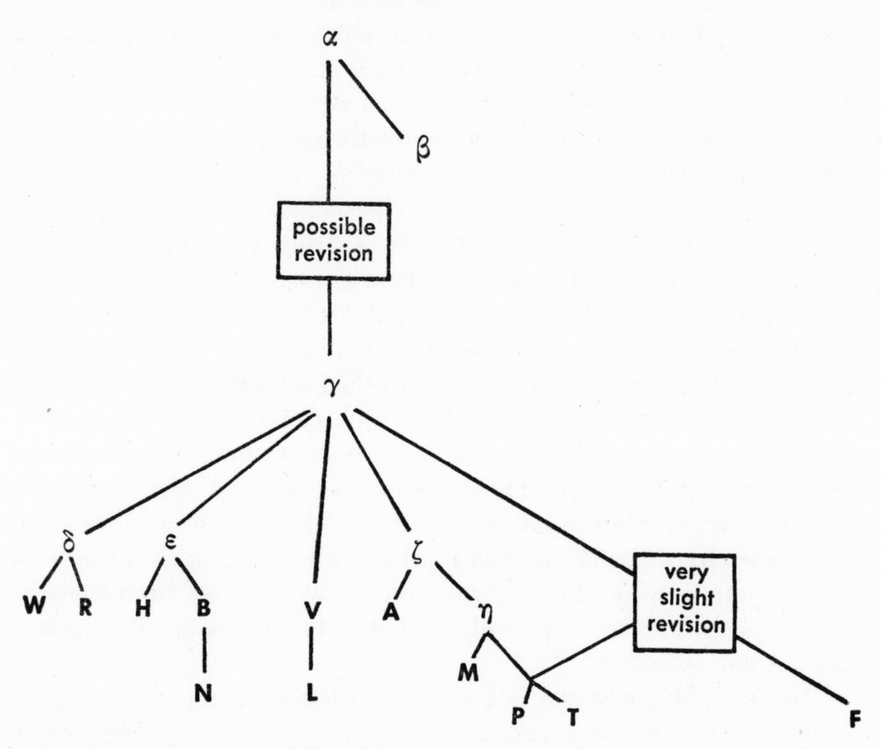


The manuscripts designated by Greek letters are now lost or unidentified.

α is Perotti's copy of his translation completed by July, 1450.

β is the copy presented to Nicholas V in June, 1451.

γ is a copy made later than January, 1452. In the subscription to the preface Perotti was styled *poëta laureatus*. Whether the text of α had been revised, cannot, of course, be determined. At least two corruptions (*En.* 30) had entered the text. There were marginal notes.

δ and ε are assumed to account for the peculiarities of the manuscripts here derived from them; other arrangements are possible.

ζ and η are necessary assumptions; see above p. 49.

I have sought to edit the text of Perotti's work critically, and therefore, although I have naturally given special consideration to the readings of **F**, I have not hesitated to adopt superior readings from other manuscripts. The orthography of my text is equally eclectic. I have at each point selected the best spelling offered by the various manuscripts; the result, it will be seen, is an orthography that, with few exceptions, is correct by classical standards. In the rare instances in which, for the sake of consistency, I have used in the text a spelling not found in any of the manuscripts, I have been careful to report this fact in the apparatus. I am, of course, responsible for the use of capitals and of minuscule *u* and *v* in conformity with modern practice, for the very sparing introduction of the macron and circumflex at points where the eye of the reader would otherwise be momentarily misled, and for the punctuation, which, after having first followed the strictest practice of the Teubner series, I have, at the suggestion of a distinguished scholar, much simplified. I have, by the way, often thought it unfortunate that we now have no fixed and universal system of *Latin* punctuation, so that modern texts show marked provincial variations. I have also wondered whether the Spartan discipline which the modern editor imposes on his reader by denying him the marks of quantity which, as aids to rapid comprehension of the text, were, as we may see from the surviving papyri, normally provided for Roman readers in the Classical Age, is not excessive.[1]

The critical apparatus is inclusive rather than selective. I have endeavored to report every lection of every manuscript that offers a word or inflection different from that which appears in the text. In general, however, I have not reported merely orthographic variations; these would inordinately have encumbered the apparatus, and are, in any case, of minimal importance in post-classical texts; the most marked orthographic peculiarities of each manuscript have been noted in my description of it above. I have, however, reported the variations in the spelling of a few proper names and uncommon words, and, in deference to anyone who may wish to ascertain the precise standard of orthography that presumably met with Perotti's approval in F, I have reported in the apparatus all the spellings of that manuscript which are not shown in my description of its systematic variations above. Corrections in the various manuscripts, if they served only to remove a scribal error and bring the given manu-

[1] For an interesting attempt to facilitate the reading of Latin texts, see C. Cornélii, **Taciti** *Cn. Júlii Agricolae Víta,* typographicís novís excúsa cúrante Immóne S. Allen, Londínii, **1909.**

script into harmony with the others, have been reported only where they seem to shed some light on the interrelationship of the manuscripts.

To avoid the expensive procedure of numbering the lines of a prose text, I have invariably repeated in the apparatus to the left of a colon the portion of text under consideration, and then reported to the right of the colon the corresponding portions of the text from all the manuscripts which disagree (except in spelling) with what appears to the left of the colon. In reporting variants, I have, of course, resolved all contractions and used the spellings of the manuscript in question or, where several are reported, the spelling used in the majority of them or in the manuscript first cited for the reading.

Some of the manuscripts have marginal notes; these, again for reasons of economy, I have relegated to the apparatus in the appropriate places, distinguishing all material taken from the marginal comments by printing it in small capitals, which should not be taken to imply that these comments are necessarily in capitals in the manuscripts from which they are reported.

I have divided Perotti's preface into sections. The divisions which appear in the rest of the text are those of the corresponding Greek text.

The second apparatus, which appears at the bottom of each page, is designed to call attention to all the passages in which Perotti's version either differs from the accepted Greek texts of Simplicius and Epictetus or confirms the accepted texts when these are the result of emendation or other distinct editorial intervention. Passages which Perotti added or omitted are, of course, noted, together with some details which may suggest the relationship of the manuscript which he used to the manuscripts on which the Greek text is based. A few instances in which Perotti's translation of a Greek word or phrase seemed worthy of remark have been recorded, but for obvious reasons the apparatus is not designed to be a critique of the elegance or the syntactical accuracy of Perotti's Latinity. Wherever it seems clear that Perotti had the accepted text before him and understood it, it would, in the present connection, be idle to comment on possible improvements of his version.

The standard text of Simplicius' *Exegesis* is that edited by Schweighaeuser in the fourth volume of his *Epicteteae philosophiae monumenta* (Lipsiae, 6 vols., 1799-1800); this I have, of course, used, and wherever it has been necessary to indicate the readings of individual manuscripts, I have naturally used Schweighaeuser's somewhat inconvenient designations. The latest critical recension of the text of the *Enchiridion* with a full report of manuscript readings is again the work of Schweighaeuser, presented in his separate edition of the *Manuale* (Lipsiae, 1798). The text was re-edited, but without new collations and on the basis of Schweighaeuser's work, by H. Schenkl in the Bibliotheca Teubneriana (editio maior, 1916).[2] In citing the readings of individual manuscripts, I have necessarily used Schweighaeuser's designations, but their relation to the collective designations employed by Schenkl is indicated in the table which precedes my text.[3]

In my second apparatus I first repeat the portion of Perotti's version that will be considered, then give the established text shown in the standard editions mentioned above, and finally all departures from that text in the manuscripts reported by Schweighaeuser that are relevant to the problems presented by Perotti's translation. It would obviously be absurd to list variants in the Greek text which would not have affected the translation, or to call attention to passages in which Perotti's version, the established text, and the majority of the manuscripts are in agreement. And since Perotti obviously did not use the work of Nilus, the anonymous Christian paraphrase, or the emendations of modern editors, readings from these sources are reported only when they seem to support the text that Perotti appears to have had before him.

[2] Schenkl's text was re-examined by Professor W. A. Oldfather for his edition of Epictetus in the Loeb Library (London and New York, 1928). Oldfather's text is identical with Schenkl's in all the passages which we shall have occasion to discuss.

[3] Since I am not, of course, attempting to edit the Greek text, but merely to supply material of some possible value to future editors, it seemed best to base these collations exclusively on the standard editions, and rigorously to exclude reference to subsequently published conjectures or reported readings.

# EPICTETI ENCHIRIDIVM

A

NICOLAO PEROTTO

LATINE REDDITVM

## SIGLA

### CODICES QVI PEROTTI VERSIONEM EXHIBENT

(De unoquoque latius egimus alphabetico siglorum ordine in paginis Anglice scriptis 40 sqq.)

F — pulcerrimus codex, fortasse ipsius Perotti manu exaratus, no. 204 in bibliotheca publica vici qui 'Sandaniele del Friuli' dicitur; saec. xv post 1454, ante 1460.
A — Ambrosianus L. 27 sup.; anno 1473.
M — Monacensis Latinus 3604; saec. xv post 1452, ante 1460.
P — Pragensis VIII. H. 30; saec. xv post 1454, ante 1465 (?).
T — Tridentinus 3224; saec. xv post 1454, ante 1465 (?).
V — Vaticanus Latinus 3027; saec. xv post 1454, ante 1461.
L — Laurentianus XLVIII. xxxvi; saec. xv post 1454, ante 1470 (?).
W — Vaticanus Latinus 6847; saec. xv post 1456.
R — Angelicanus 1371; saec. xv.
H — Harleianus 4923; saec. xv.
B — Barberinianus Latinus 49; saec. xv, post 1452, ante 1495.
N — Florentinus (in bibliotheca publica) II. vii. 125; anno 1495.

## CODICES QVI SIMPLICII COMMENTARIVM EPICTETIQVE ENCHIRIDIVM EXHIBENT

| Sigla codicum quos adhibuit Schweighaeuser | | Sigla quibus eosdem codices Schenkl designavit |
|---|---|---|
| Pa — Paris. 1959<br>Pb — Paris. 1960<br>Pi — " codex Italicus nuper Bononia Parisios transvectus " | A | (codices qui Simplicii commentarium exhibent singulis Enchiridii particulis suo loco praemissis). |
| Pe — Paris. 2072<br>Arg — Argentoratensis, nunc igni absumptus | B | (codices in quibus integrum Enchiridium Simplicii commentario praemittitur). |
| Pd — Paris. 2022<br>Pf — Paris. 2023<br>Pg — Paris. 2024 | C | (codices solum Enchiridium continentes). |
| Pc — Paris. 2072<br>Ax — Argentoratensis | D | (verba Enchiridii quae in classis B codicibus singulis commentarii particulis tamquam lemmata praemittuntur). |

**Dresd** — **Dresdensis mancus quem contulit Heynius**

Ed. Ven. — editio princeps, Venetiis, 1528.

| | |
|---|---|
| Vha<br>Vhb<br>Vpa<br>Vpb<br>Vpc<br>Vpd | exempla Venetae editionis emendationes et coniecturas manu adnotatas habentia, quae nonnumquam adhibuit Schweighaeuser. |

{ } Signis bracchiorum sive *alogis* (cf. Isidori *Etym.* I, xxi, 27) seclusi Latina quae meo, Graeca quae editorum iudicio delenda sunt.

⟨ ⟩ Diplis sive uncis angulatis signavi Latina quae meo, Graeca quae editorum iudicio supplenda sunt.

⟦ ⟧ Vncis rectis duplicatis in apparatu critico seclusi ea quae in codice de quo agitur consulto erasa sive cancellis deleta sunt.

⟩ Diplen aversam in apparatu critico interieci inter ea quae librarius primo scripsit et ea quae nunc in codice leguntur.

[ ] Vncis rectis in annotationibus signavi vocabula quae ipse interposui ut ordo, constructio, vis verborum de quibus agitur lucidius appareat.

NICOLAI PEROTTI IN EPICTETI PHILOSOPHI ENCHIRIDIVM PRAEFATIO INCIPIT FELICITER AD NICOLAVM QVINTVM PONTIFICEM MAXIMVM

SOLEO mecum interdum mirari, Summe Pontifex, stultitiam atque instabilitatem humani generis, quod, cum constemus ex animo et corpore, animique salutem saluti corporis longe anteponendam esse existimemus, corporis tamen curandi tuendique causas omnīs diligentissime perquirimus; animi vero curam nec desideramus nec probamus, sed potius contemnimus invisamque habemus. 2 Qui noster error eo maior iudicandus est quod morbi perniciosiores pluresque sunt animi quam corporis; quod plus detrimenti afferunt animi aegritudines; quod corpora interdum, etiam si diligentissime

---

*Inscriptio deest in M* || Nicolai Perotti *om. R* || in *om. L* || Epicteti: Epiteti *WPT* Epitecti *R* || Enchiridium: Enchridium *R* || feliciter *om. LHN*

1 animo et corpore: animo quo corpore *MPT* animo quo>et corpore *A* || tuendique: tuendi *R* || causas omnis: causas omnes *HBN* || contemnimus: contemnibus *M*

2 PLVRES PERNICIOSIORESQVE MORBI ANIMI QVAM CORPORIS *FAVW* || iudicandus est quod: iudicandus est quo *L* || perniciosiores: perniciores *PT* || aegritudines: aegrotationes *AMVLWRBNH*; *cf. Perotti Cornucopiae (ed. Venetiis 1517, 604.37)*: "*aegrotus ab aegro ita differt quod aeger animo est, aegrotus corpore. Sic et aegritudo animi est, aegrotatio corporis; Cicero: 'Sed proprie ut aegrotatio in corpore, sic aegritudo in animo nominatur.'" (Cic., Tusc. III, x, 23; sed hunc locum Perottus ex Noni Marcelli De compendiosa doctrina libro quarto sumpsisse videtur.)* || quod corpora: quot corpora *PM* quam corpora *L* ||

---

*Neminem praeterierit Perottum sibi in praefatione sumpsisse materiem et verba nonnulla quae e Ciceronis libris, praesertim ex Tusculanarum Disputationum tertio, petivisset. Haud operae pretium erit omnia hoc loco repetere; pauca tamen in limine conferre volo, quo facilius conspicere possis qua ratione Perottus Ciceronianis locis (quos fortasse memoria tenebat) usus sit.*

1 "*Quidnam esse, Brute, causae putem, cur,* cum constemus ex animo et corpore, corporis curandi tuendique causā *quaesita sit ars* . . . animi *autem medicina nec tam* desiderata *sit* . . . *nec tam multis grata et* probata, *pluribus etiam suspecta et* invisa?"—*T. D.* III § 1.

2 "*At et* morbi perniciosiores pluresque sunt animi quam corporis . . . *Quibus duobus morbis, . . . aegritudine et cupiditate, qui tandem possunt in corpore esse graviores? . . . Cum . . . nec omnes qui curari se passi*

curentur, sanari non possunt, animi autem omnes qui se sanari voluerunt sine ulla dubitatione sanantur. 3 Vbi enim plures gravioresque sunt aegritudines, ibi medicina magis necessaria foret; et ubi de salute certior spes est, ibi facilius labor omnis impendi debet. Nam ubi curando te nihil proficere posse intelligas, operam impendere stultissimum est. 4 Huius autem nostri erroris ea mihi potissimum causa videri solet, quod, cum rationem habeamus a natura menti datam et acrem et vigentem, eam celeriter a teneris annis sic malis moribus opinionibusque depravamus atque restinguimus, ut una omne naturae lumen intereat. Hinc nobis evenit ut electiones nostrae nos saepenumero frustrentur; hinc ut relictis veris virtutibus falsa inaniaque sectemur; hinc ut corporis curam curae animae anteponamus. 5 Quod si nostros animos ratione atque doctrina excolere curaremus, si fines bonorum malorumque nobis animo proponeremus, si naturam ducem sequeremur, parvi faciendam profecto curam corporis putaremus, animi vero omni opera studio diligentiaque amplectendam. Nam corpus quidem fragile, mortale et mille casibus obnoxium natura parens fecit, animum vero firmum, incorruptibilem, immortalem. 6 Sunt praeterea, quod paulo ante tetigi, complures corporis aegrotationes, quae nullo studio sanari, nulla medicina

---

animi autem: animi vero *L* || sanantur: sanatur *R*

3 Vbi enim: ubi autem *M* || aegritudines: aegrotationes *AMVLWRBNH* || et ubi: ut ubi *R* || facilius: facilimus *T* || impendere: impedere *R*

4 ea mihi potissimum: ea in ibi potissimum *AMPT* ea potissimum *L* || acrem: acram *PT* || opinionibusque: opinionibus quae *A* opinionibus *M* || restinguimus: restringimus *MPT* destringimus *R* || ut electiones: electiones *N* || inaniaque: inani atque *W* || animae: animi *MPT congruentius*

5 curaremus: curemus *BN* || malorumque nobis: malorumque *L* malorum nobis *R* || Nam corpus: nam corporis *N* || obnoxium: ob nosdem *R* || immortalem *om. H*

6 paulo ante: ante *R* || complures: quamplures *AMPT* || aegrotationes: egritudines *PT* || nulla medicina liberari: *Soloecismum quo Perottus sermonem inquinavit medici tardae aetatis primi usurpasse videntur, qui vitiose 'morbum liberare' pro 'morbum curare' vel 'morbo mederi' posuerunt. Theodorus Priscianus primo Euporistôn libro (§ 38) de medicamentis disserit quae oculorum " caligines et obscuritates, aliquando etiam suffusiones*

---

*sunt continuo etiam convalescant,* animi autem qui se sanari voluerint *praeceptisque sapientium paruerint* sine ulla dubitatione sanentur. . . ." —*T. D.* III § 5.

4 "*Homines . . . hoc uno plurimum a bestiis differunt, quod* rationem habent a natura datam ment*emque* acrem et vigentem."—*De fin.* II § 45. "*Parvulos nobis dedit* [*natura*] *igniculos, quos* celeriter malis moribus opinionibusque deprav*ati* sic restinguimus, ut *nusquam* naturae lumen *appareat.*"—*T. D.* III § 2. *Plura e Cicerone conferre nolo.*

liberari, possunt. Animi vero nulla est tam gravis tamque acerba aegritudo, qua non facile liberari possit, si ei medicinam adhibueris. **7** Eius autem medicina philosophia est, cuius auxilium, ut inquit Cicero, non ut in corporis morbis petendum est foris, sed omnibus opibus et viribus, ut nosmet ipsi nobis mederi possimus, elaborandum. Philosophiam, igitur, Summe Pontifex, philosophiam quantum in nobis est toto animo petere, toto pectore amplecti debemus. **8** Haec, ut Cicero inquit, vitae nostrae dux est, haec indagatrix virtutum expultrixque vitiorum. Haec est sine qua nec nos nec vita hominum ullo pacto esse potuisset: haec urbes peperit; haec dissipatos homines in societatem vitae convocavit; haec eos inter se primo domiciliis, deinde coniugiis, tum litterarum et vocum communione, devinxit. **9** Haec legum inventrix, haec morum disciplinarumque magistra fuit. Haec denique est quae facit ut omnes, mortis terrore deposito, summa vitae tranquillitate frui valeamus. **10** Quae quantum ad sedandos animi affectus atque perturbationes, quantum ad virtutes capessendas valeat, optime ostendit is qui eam de caelo evocasse dicitur, Socrates. **11** Nam cum in eum multa in conventu vitia collegisset Zopyrus, qui tum in physiognomia peritissimus erat quique se uniuscuiusque naturam ex forma atque lineamentis perspicere profitebatur, derisus est a ceteris, qui illa in Socrate vitia non cognoscebant. Socrates autem eum sublevasse dicitur, quod illa

---

*liberaverunt." Eodem soloecismo usus est scriptor tractatûs, qui sub nomine Plinii Valeriani circumfertur, quem typis descriptum in volumine Medicorum Antiquorum Venetiis anno 1547 edito alibique invenies, lib. I, 2; II, 17.* ‖ tamque: tamquam *MPT*[1] (*cor. T*[2]) tamquam>tamque *R* ‖ aegritudo qua: aegritudo quae *AMPTVLWRHBN* aegritudo quae> qua *F quem codicem Perottum hoc loco sua manu correxisse puto.*

**7** CICERO *FAVW* ‖ inquit Cicero: *T. D. III, iii, 6* ‖ omnibus opibus: omnibus operibus *AMPTR* ‖ nobis mederi: nobis medi *A* ‖ Philosophiam: est philosaphiam *R* ‖ Summe Pontifex philosophiam: philosophiam summe pontifex *T*

**8** CICERO *FAVW* ‖ Cicero inquit: *T. D. V, ii, 5* ‖ expultrixque: expultrix *MPTH* ‖ urbes: urbis>urbes *A*

**9** inventrix: inuentris *T*[1] (*cor. T*[2]) ‖ morum: morumque *R* ‖ quae facit *om. L* ‖ omnes *om. R* ‖ deposito: deposito ut *P* deposito omnes *R*

**10** sedandos: sedando *H* sedandum *L* ‖ affectus atque: affectus ac *BN* affectos atque *T* ‖ perturbationes: perturbationis *A* ‖ quantum ad virtutes capessendas *om. P* ‖ ostendit is: ostendit his *A* ‖ de caelo: e celo *L*

**11** SOCRATES *FAVW* SOCRATES PHILOSOPHIAM MORALEM DENDO EVOCASSE DICITVR *R*—ZOPYRVS *F* ZOPIRVS *AW* SOPHYRVS>ZOPYRVS *V* ZOPIRVS IN PHISIOGNOMIA PERITISSIMVS *R* —NOTA *FAVW* SAPIENS DOMINABITVR ASTRIS VTI SOCRATES *R* ‖ Nam cum: nam *R* ‖ in eum *om. P* ‖ in conventu: commenta *MPT* in conuentum *R* ‖ vitia: uicia in eum *P* ‖ collegisset: colligisset *WMPT* ‖ Zopyrus: Zopirus *AWTL* Zophyrus *BN* Sopirus *P* Çopirus *R* ‖ qui tum: qui tunc>tum *A* qui tam *MPT* ‖ physiognomia: phisiognomia *ARN* phisonomia *P* phizonomia *T* fisionomia>fisiognomia *H* uisonomia *M* ‖ quique: qui *M* qumque *R* ‖ perspicere: prospicere *R* ‖ autem: etiam *R del. m. 1* ‖ signa: *Hanc vocem et omnia*

sibi signa, sed ratione a se deiecta, diceret. **12** Ceterum, cum multi sint qui in philosophia graviter ornate copioseque scripserunt, ego certe non is sum qui de praesidentia clarissimorum philosophorum iudicare ausim. Eligat sibi quisque quos libet; mihi profecto inter ceteros maxime utilis videtur Epictetus nobilissimus philosophus. **13** Nam cum duo sint in quibus praecipue consistit ut bene honesteque vivamus—unum ut intentio finisque nostrarum operationum rectus sit, alterum ut operationes quae ad rectum finem ducunt inveniantur—Epictetus breviter utrumque demonstrat. Nam et finem eligendum docet, et media quibus ad eum finem pervenire possimus ostendit. **14** At quanta est apud hunc virum, dii boni, in loquendo facilitas, in verbis elegantia, in sententiis gravitas! Non possum dissimulare quod sentio: hoc mihi inter huius ac ceterorum philosophiam videtur interesse, quod aliorum quidem praecepta nos scire faciunt (utputa scire quid sit iustitia, quid fortitudo, quid temperantia), Epicteti vero praecepta fortes nos esse et iustos et temperantes. Tanta est apud hunc philosophum vis elegantiae et gravitatis. **15** Huius cum mihi nuper in manus incidisset exiguus hic libellus, qui Enchiridium inscribitur, dignus mihi visus fuit quem Latinum facerem et tuo beatissimo nomini, Pontifex Maxime, dedicarem. Eum, cum pro tua solita clementia atque benignitate susceperis, noli idcirco contemnere quod sit corpore exiguus. Est enim amplissimus viribus, instar lapillorum qui interdum, cum nullius sint corporis, pretiosis-

---

*quae de Socrate et Zopyro tradit, Perottus deprompsit ex Tusculanarum Disputationum libri quarti capite xxxviii (§ 80), ubi codices fere omnes 'signa' habent pro 'insita' vel 'ingenita.'*

**12** sint qui: sint quae *A* sunt qui *BN* ‖ philosophia: philosaphiam *R* ‖ ornate copioseque: ornateque *P* ‖ is sum qui: is sum quae *A* ‖ praesidentia, *i. e. sapientiae praestantia. Vocem insolitam veteribusque scriptoribus prorsus ignotam Perottus hoc tantum loco profert. Apud quendam Medii Aevi scriptorem, teste DuCange in Glossario Mediae et Infimae Latinitatis, praesidentia est 'dignitas eius qui praeest'; hîc autem agitur de dignitatis loco (Gallice* 'préséance') *quem philosophis sic deferre debemus ut suum quisque obtineat locum.* ‖ philosophorum: virorum *L* ‖ ausim: ausus sim *MPT* ‖ quisque quos: quisque quod *MPT* ‖ maxime *om. T* ‖ utilis: utile *R* ‖ Epictetus: epitetus *WMPT* epitectus *R*

**13** LAVS EPICTETI *FAV* LAVS EPITETI *W* ‖ unum ut: unum quod *P* ‖ rectus sit: rectus fit>sit *L* ‖ rectum finem: rectum *BN* ‖ Epictetus: epitetus *WPT* epithetus *M* epitectus *R* ‖ Nam et: nam qui *AMPT* ‖ eligendum: diligendum *R*

**14** loquendo: eloquendo *R* ‖ ceterorum: caeterarum *W* ‖ Epicteti: epiteti *WMPT—In margine* MAGNA LAVS *FAVW* ‖ temperantes: temperatos *LP* ‖ hunc: huc *R*

**15** nuper in manus: in manus *L* ‖ Enchiridium: encridium *R* ‖ dignus mihi visus fuit: mihi uisus fuit *T* dignus uisus fuit mihi *L* ‖ facerem: facere *R* ‖ dedicarem: dedicerem *A* ‖ Eum cum: eum *A* ‖ quod sit: quod si *W* ‖ amplissimus: amplissimis *MPT* ‖ instar: ad instar *MPT*[1] (*cor. T*[2]) ‖ qui interdum: que interdum *R* ‖ sint: sit *R* simi habentur. **16** Qualiscumque tamen tuae Sanctitati videbitur, non despero—tanta est tua benignitas atque clementia—vel propterea tibi gratum acceptumque futurum quod ab homine tuae Sanctitati deditissimo, optimo animo summoque obsequendi studio oblatus fuit. Valeat tua Sanctitas felicissime.

NICOLAI PEROTTI POËTAE LAVREATI

IN EPICTETI PHILOSOPHI ENCHIRIDIVM

A SE E GRAECO IN LATINVM TRANSLATVM

PRAEFATIO FINIT

---

**16** oblatus fuit: oblatum fuit *FVLAWHBNR* oblatus fuerit $T^2$. *De vera lectione diu dubitavi, nam fieri potuit ut Perottus haec fere dicere vellet: "spero equidem fore ut liber meus Nicolao gratus sit; quicquid enim ei* obsequendi *causa dono datum atque* oblatum *erit, is grato ut solet animo accipiet." Ne codici F nimium fidas, cf. 30, ubi eum et reliquos in manifestissimo errore deprehendes.*
*Subscriptio om. LHMRN* || e Graeco: ex greco *W* || finit: fuit *B*

SIMPLICII PHILOSOPHI

IN EXPOSITIONEM ENCHIRIDII

PRAEFATIO INCIPIT FELICISSIME

**1b** DE VITA quidem Epicteti deque eius morte Arrianus scripsit, maximis voluminibus eius diatribas complexus, a quo licet intelligere qualis vitā fuerit Epictetus. **1c** Hunc vero librum, qui Epicteti Enchiridium inscribitur, et ipse Arrianus composuit, ea quae utiliora sunt et in philosophia magis necessaria magisque animum moventia ex Epicteti sermonibus eligens, quod ipse in epistola quadam ad

---

*Inscriptio deest in M* ‖ Simplicii: Simplitii *A* ‖ in *om. L* ‖ Enchiridii praefatio: enchiridii a se e graeco in latinum translati praefatio *L* enchridij prefatio *R* ‖ incipit felicissime: *om. RN* incipit *H* incipit lege foeliciter *B*

**1b** ARIANVS *FAVWR* ‖ Epicteti: Epiteti *MPT* Epiteti>Epicteti *W* epictecti *R eadem fere discrepantia aliis in locis* ‖ Arrianus: arianus *FVLWAPMR* ardrianus $T^1$ ‖ diatribas: diatribus *P* diatrabas *L* dietribus *T* ‖ complexus: amplexus *BN* ‖ vita: uite $T^2$

**1c** librum: liberum $T^1$ ‖ Epicteti Enchiridium: Enchiridium *L* ‖ inscribitur: scribitur *R* ‖ Arrianus: arianus *FVLHAMRB* avienus (?)>arianus *W* ‖ quae utiliora sunt et in

---

SIMPLICII: *Scriptoris nomen Perottus ex aliquo codice melioris sane notae sumpsit; ex omnibus enim codicibus quos Schweighaeuser contulit, veram scripturam* (Σιμπλικίου) *solus servavit* Pa, *cui vero suffragatus est vir doctus qui* Pi *emendavit; reliqui omnes* Συμπλικίου *perperam exhibent.*
PHILOSOPHI: φιλοσόφου Pa *solus; reliqui vero nudum scriptoris nomen praebent. Lectorem benevolum qui has adnotationes inspecturus est extemplo monere debemus codicem, quo usus sit Perottus, non semel sed saepius consentire cum codice* Pa, *quem 'optimum' inter libros suos agnovit Schweighaeuser.*

**1b** Arrianus: Ἀρριανός—Ἀριανός Pc Ἀρειανός Arg Pb Pi. *Sed quemadmodum Arriani nomen scripserit Perottus, non satis liquet.*
maximis voluminibus: ἐν πολυστίχοις . . . βιβλίοις.

**1c** ipse: αὐτό [*sc.* βιβλίον] Pa—αὐτός *reliqui, quibuscum consentire codicem ex quo interpres noster suam deprompserit versionem, manifestum est.*
utiliora: καιριώτατα. *Perottus saepe comparativum pro superlativo ponit, nonnumquam vero superlativum pro comparativo.*
quadam: *Adiecit interpres.*

Massalinum testatur, cuius nomini hoc quoque opus dedicavit ut homini et sibi amicissimo et huius philosophi studiosissimo. Sed haec eadem fere ad verbum in iis quae Arrianus de Epicteti sermonibus scripsit sparsim congesta reperiuntur.

**2a** Intentio eius in hoc libro est—si nos reppererit sibi fidem adhibentes, nec audientes solum sed ipsis sermonibus affectos et quasi ad exercitationem conversos—liberum facere animum nostrum talemque, qualem nobis dedit summus ille rerum conditor prin-

---

philosophia magis: quae in philosophia sunt et magis *L* ‖ Massalinum: Massalynum *FHVLBN* Masselinum *PT Nomen Messalini Perottus codice suo Graeco fretus perperam scripsit.* ‖ in iis: in is *MT* in his *PHLBNR* in his>iis *W* ‖ Arrianus: Arianus *FAVLWRHMPB* ‖ de Epicteti: et Epicteti *BN*$^1$ ex Epicteti *N*$^2$

**2a** INTENTIO EPICTETI *FAVW* INTENTIO EPITECTI PHILOSAPHI *R* ‖ reppererit: repererit *FAVLW* reperit *HMPTBN* reperierit *R* ‖ conversos: conuersus *PT* conuersus>conuersos *M* ‖ liberum: librorum *W* librum>liberum *T* ‖ talemque: talem *T*$^2$ ‖ qualem: qualis *BN*

---

Massalinum: Μασσαληνόν *omnes; de Messalino agitur.*

huius philosophi studiosissimo: τὸν Ἐπίκτητον τεθαυμακότι.

in iis quae . . . de Epicteti sermonibus scripsit: ἐν τοῖς [*sc.* βιβλίοις] . . . τῶν Ἐπικτήτου Διατριβῶν γραφόμενα *Schweighaeuser*—γραφομένοις *codices. Perottus autem in codice suo legisse videtur haec verba, quae adfero e Simplicii editione quae ex Heinsiana repetita Londini in lucem prodiit anno 1670:* ἐν τοῖς . . . περὶ τῶν Ἐπικτήτου διατριβῶν γραφομένοις. *Heinsius igitur, quem Schweighaeuser coniectandi licentiae arguit, codicem hoc loco adhibuit Perottino similem. Haec lectio autem ex quadam interpolatione est orta, nec ei suffragatur Gellius, apud quem (XVII,xix,2), ni fallor, legere debemus: " Arrianus . . . in libris quos {d}e dissertationibus eius* [= *Epicteti*] *composuit"; cf. Cic.* In Caecil. *14,47: " quem* [*librum*] . . . *ex alienis orationibus compositum . . ."*

reperiuntur: εὑρίσκεται Pa—*om.* Arg Pb Pc Pi *ed. Ven.*

**2a** Intentio eius in hoc libro est: Σκοπὸν δὲ ἔχει τὸ βιβλίον. *Interpres veram scripturam ante oculos habuisse videtur, sententiam autem hoc loco, ut saepe alibi, reformavit.*

fidem adhibentes: πειθομένων—πυθομένων " *perperam in* Arg & Pa, *nescio an & in aliis*"—*Schweighaeuser.*

ad exercitationem conversos: εἰς ἐργασίαν αὑτοὺς [*sc.* λόγους] ἀγόντων—αὐτοὺς *editio Heinsiana quam modo memoravi, quacum iterum congruit codex Perottinus.*

dedit summus ille rerum conditor princepsque et frabricator mundi: ὁ ποιήσας καὶ γεννήσας δημιουργὸς καὶ πατὴρ προεβάλλετο.

cepsque et fabricator mundi, ut nihil sit quod ei timorem incutiat, nihil quod eum angat, nihil quod, cum eo deterius sit, illi imperet. Enchiridium idcirco inscribitur quod eum continue promptum paratumque esse in manibus oporteat recte vivere volentibus. **2b** Nam et militare enchiridium ensis est, qui plurimum conducit eo frequenter utentibus. Tantum vero roboris his sermonibus inest adeoque animos hominum movent, ut nemo sit, nisi prorsus ab omni sensu remotus, qui his non excitetur ac morbos suos sentiat et ad illorum curam moveatur—hic quidem magis, is vero minus. Si quis

---

|| fabricator: fabricatur *M* || quod eum: eum *W* quod cum *N* || quod cum eo: quod eo *MPT* || Enchiridium: *in margine* ENCHIRIDIVM VNDE *FAVW* || oporteat: oportet *AMPT* **2b** MILITARE ENCHIRIDIVM *FAVW* || qui plurimum: qui multum *P* || adeoque: adeo quae *A* || animos hominum: hominum animos *L* || nisi prorsus: prorsus *W* || ab omni sensu: ab omni sermone *P* || morbos: morbus *T* || hic quidem: hic uero *P* || is vero minus: his

---

nihil sit quod ei timorem incutiat: μήτε φοβεῖθαί τι. *Animadverte, sis, qua ratione interpres Simplicii sententiam hoc loco reformaverit. Hîc enim tria in textu Graeco adsunt verba infinita, quorum duo media, unum passiva voce ponuntur, quae si ita interpretemur ut verbum pro verbo ponatur, haec fere de animo membratim scribamus: 'ne quid formidet,' 'ne qua re doleat,' 'ne qua re e deterioribus regatur.' Quorum tertium exile sane est et ieiunum, nam verbum regendi Graeco verbo non plane respondet;* δεσπόζειν *enim proprie est* dominari, *quod autem verbum nequit passiva poni voce. Perottus cum vellet tria verba pariter activa voce ponere ut Simplicius vehementius loqueretur, Graeca ita est interpretatus ut* 'nihil' *ter scriberetur quo sermo concinnior efficeretur.* 'Timorem incutiat' (*ut paulo ante* 'fabricator mundi' *et alia nonnulla quae passim leguntur) scripsit fortasse Ciceronis* Timaei *memor.*

promptum paratumque . . . in manibus: πρόχειρον . . . ἕτοιμον.

**2b** plurimum conducit eo frequenter utentibus: πρόχειρον ἀεὶ τοῖς χρωμένοις ὀφεῖλον εἶναι. *Haec verba si ante oculos habuisset Perottus, ea profecto reddidisset 'quem semper in promptu habere debent ii qui eo utuntur.' Etsi vir doctus qui Simplicianum commentarium luculenter edidit nullam inter codices discrepantiam hoc in loco adnotavit, verisimile est codicem quo usus sit Perottus aliquo modo depravatum fuisse, ut fortasse* ὠφελεῖ *vel* ὠφελοῦν *exhiberet.*

prorsus ab omni sensu remotus: πάνυ νενεκρωμένοις.

moveatur: ἐπεγείρεσθαι—ἐπείγεσθαι Pa Vhb Vpb. *Vtrum hoc an illud in codice suo legerit Perottus, dubium, cum manifestum sit verbum movendi neutri verbo Graeco plane respondere. Similia posthac praeteribo.*

vero hisce sermonibus commoveri nequeat, is inferorum dumtaxat iudicio corrigi poterit.

**2c** Docet profecto hominem ut, cum secundum propriam substantiam nihil aliud sit quam anima rationalis, corpore ut instrumento utatur. Qua ratione, ut uxores capiant permittit, ut liberos procreent, ut ceteris rebus quae in hac vita appeti solent fruantur. Vbique tamen praecipit ut rationalis potentia a corpore ceterisque perturbationibus se ipsam servet custoditam et universa corporis bona ad suum unius bonum referat. Ex bonis vero quae extrinsecus dicuntur quaeque sunt quae vero bono convenire posse videantur, iis uti cum mediocritate concedit; at quae ab illo protinus dissentiunt, ea omni ratione fugienda admonet.

---

uero minus *AR* is non minus *VL* ‖ quis vero: quis *BN* ‖ inferorum: inferiorum *LR* ‖ dumtaxat iudicio: iudicio duntaxat *L*

**2c** NIHIL EST HOMO [[SI]]NISI PROPRII SVBSTANTIAM NI ANIMA RATIONALIS *R* ‖ instrumento: instrumenta *R* ‖ procreent: procreant *T* ‖ ut ceteris: ne ceteris *PM* ‖ appeti solent: expeti solent *L* ‖ ipsam: ipsum *BNR ancipiti nota* (ipm) *scriptum in FAVLWHP* ‖ custoditam: custoditura *P* custoditum *FAVLWHBNR* ‖ et universa: uniuersa *T* ‖ extrinsecus dicuntur: intrinsece ducuntur *R* ‖ sunt quae vero: sint que uere *R* ‖ iis uti: is uti *MT* his uti *HPBNR* ‖ at quae: atque *ABN* ‖ ea: eo *N*

---

commoveri nequeat: μὴ πάσχει Pa—πάσχῃ *reliqui. Interpreti saepenumero libuit sermonem huiusmodi verbis ('nequit,' 'potest,' 'videtur') infarcire.*

corrigi poterit: ἀπευθυνθείη Pa Vha Vpad— ὑπευθυνθείη *reliqui. Veram scripturam secutus est interpres.*

**2c** cum secundum propriam substantiam nihil aliud sit quam anima rationalis: ὡς κατὰ ψυχὴν λογικὴν οὐσιωμένον.

rationalis potentia . . . se ipsam servet custoditam: τὴν λογικὴν δύναμιν ⟨ἀδούλευτον⟩ φυλάττειν {αὐτήν}—δύναμιν *habet* Pa *solus, ubi reliqui* ἀδύνατον *exhibent.* ἀδούλευτον *abest in* Pa *et reliquis; verbum restituit hoc in loco Heinsius, fortasse quodam codice suo fretus.* αὐτήν *habent omnes; delevit Schweighaeuser. Hîc iterum codex Perottinus plane cum* Pa *consensisse videtur. (Patet vero* αὑτὴν *hoc loco idem ac* αὐτὴν *valere.)*

ceteris perturbationibus: ἀλόγων παθῶν *scripsit Wolfius*—ἄλλων *omnes.*

universa corporis bona: τὴν ἐκείνων χρῆσιν *scripsit Wolfius*—κρίσιν *omnes.*

Ex bonis vero quae extrinsecus dicuntur quaeque sunt: τῶν δὲ ἐκτὸς δοκούντων ἀγαθῶν, ὅσα μὲν . . . *Epictetus enim nobis concedit ut ex externis rebus quae in bonis habentur, iis tantum fruamur quae cum vero bono consentire possint. Quid voluerit interpres, dubium.*

posse videantur: δύναται. *Eadam ratione qua paulo ante* 'nequeat' *scripsit, interpres hoc loco verbo videndi male abutitur.*

omni ratione: παντελῶς.

**3a** Illud quoque in his sermonibus merito admiratione dignum videtur, quod sibi obtemperantes suaque servantes praecepta felices beatosque efficiunt, etiam si post mortem digna virtuti praemia non promittantur—quamquam haec quidem omnino sequuntur, nam quod corpore et carentibus ratione affectibus tamquam instrumentis utitur, necessario substantiam habet ab illis separatam protinusque distinctam et post corruptionem illorum permanentem, **3b** atque eadem ratione perfectionem habet suae substantiae convenientem. Quod si quis sit qui fortassis animam ponat esse mortalem et una cum corpore intereuntem, nihilominus qui secundum haec praecepta vitam ducit, quandoquidem per ea perfectionem adipiscitur, proprioque bono fruitur, vere felix atque beatus est. Namque humanum corpus, quamquam mortale sit, si tamen naturalem perfectionem recipiat, profecto proprium bonum obtinet, et ad id consequendum nihilo amplius indiget.

**3c** Sunt praeterea hi sermones mirae brevitatis et exquisitissimis referti undique sententiis, illis fere similes qui apud Pythagoreos

---

**3a** admiratione dignum: dignum admiratione *R* || etiam si: etsi *P* || mortem digna virtuti praemia non promittantur *om. R.* || quamquam haec quidem omnino sequuntur: quamquam hoc qui omnino sequantur hodie philosophie munere supersunt nulli *P* quamquam hoc qui omnino sequatur hodie philosophie munere supersint nulli *MT*

**3b** ratione: rationem *R* || perfectionem habet: perfectionem habent *FAVLWRHBN* || si quis sit qui: siquis sit quae *A* || ponat: ponit *A* || per ea: per eam *R* || quamquam: quam *M* || recipiat: accipiat>recipiat *PM* || ad id consequendum: ad hoc consequendum *P* || nihilo: nihil *L*

**3c** referti: refecti *MPT* || undique *om. R* || illis fere: illis uere *A* illius fere *B* || Pytha-

---

**3a** merito admiratione dignum videtur: ἄν τις . . . θαυμάσειεν.

servantes: ἐργαζομένους. *Perottus fortasse vim quae hoc in verbo inest temere neglexit.*

etiam si . . . non promittantur: οὐδὲν δεηθέντας . . . ἐπαγγέλλεσθαι. *Vtrum Perottus verbum* δεηθέντας *male intellexerit aut praetermiserit, an aliud in codice suo legerit, nescio.*

necessario . . . separatam protinusque distinctam: πάντη πάντως χωριστήν.

**3b** atque eadem ratione: καὶ δῆλον ὅτι—δηλονότι Arg Pa (*et codex Perottinus*).

per ea perfectionem: τὴν ἑαυτοῦ τελειότητα. *Perottus certe* 'propriam' *hoc loco posuisset, si eadem verba in codice suo repperisset; itaque verisimile est verbum* ἑαυτοῦ *aut in* αὐτοῖς *mutatum exstitisse aut plane ex codice excidisse.*

ad id consequendum: πρὸς τοῦτο.

**3c** sunt mirae brevitatis: κομματικοί . . . εἰσιν.

exquisitissimis referti undique sententiis: γνωμονικοί. *Vt videmus, inter-*

admonitiones appellantur, quamquam est inter eos ordo quidam et series admiratione dignissima, sicuti legendo intelligemus. Nam licet capitula distincte et, ut ita dicam, per intervalla scripta sint, ad unam tamen omnia tendunt artem, humanae scilicet vitae emendatricem, et universi sermones ad unam intentionem rediguntur, profecto ut animam rationalem hortentur tum ad custodiam propriae dignitatis, tum ad naturalem suarum operationum usum.

**4a** Sunt etiam admirandae facilitatis sermones—quamquam non ab re fortassis fecisse videbimur, si eos pro viribus nostris exponemus. Fit enim nescio quo pacto scribendo, ut et magis moveantur scribentis affectus et veritas lucidius intelligatur. Si qui praeterea sunt ad id perdiscendum proni quibus non satis familiares sint hi sermones, fortasse aliquam introductionem ex eorum expositione consequentur. Sed id primo, quod paulo ante diximus, aperiendum

---

goreos: pytagoreos *A* pitagoreos *W*[1]*MPT* pithagoreos *W*[2] pictagoreos *LR* || admonitiones: ad admonitiones *R* || quamquam est: quamquam *N* || dam et series admiratione dignissima sicuti *om. R* || dignissima: dignissimus *MPT* || distincte: distincta *RN* || rediguntur: redigantur *T* rediuntur *P* || hortentur tum: ortarentur tum *R* ortentur tunc *P* hortentur cum *A* || ad custodiam propriae dignitatis tum *om. VL*

**4a** Sunt etiam: sunt et *L* || facilitatis: felicitatis *MPT* || quamquam non: quaquam *A* || ut et magis: et ut magis *MP* ut magis *R* || moveantur: moueatur *MPT* || affectus: affectos *P* || Si qui praeterea sunt ad id perdiscendum: dum *BN*—praeterea: preterea ea *A* || quibus: cui *FAVHBN* cuius *W* || aperiendum est: aperiendum *VL* aperiundum est

---

*pres noster nonnumquam nudis verbis, quae Graeco in textu invenisset, aliquid de suo ipse adiciendum putavit, ut et Epicteteum opus lectori commendaret et versionem Latinam quadam verborum amplitudine exornaret.*

admonitiones: ὑποθηκῶν.

series admiratione dignissima: ἀκολουθία.

distincte et . . . per intervalla: διωρισμένα.

intentionem: σκοπόν.

rediguntur: τείνουσι.

**4a** sunt . . . admirandae facilitatis: εἰσὶ σαφεῖς.

non ab re fortassis fecisse videbimur: οὐ χεῖρον δέ.

fit nescio quo pacto scribendo ut: *adiecit Perottus, interpretationis fortasse causa.*

quibus non satis familiares sint hi sermones: οἱ πρὸς λόγους ἀσυνηθέστεροι. *Non de Epicteti sententiis, sed potius de philosophorum disputationibus hîc agitur, sed cum facile hoc loco falli interpres potuerit, nihil attinet quid in codice suo fortasse scriptum invenerit quaerere.*

paulo ante: *adiecit Perottus.*

est, ad cuius hominis usum praesentes sermones facti fuerint, et ad cuius humanae vitae virtutem redigant sibi obtemperantem.

**4b** Neque igitur ad eum facti sunt qui purgativam vitam vivit, nam hic pro virili sua fugere a corpore nititur corporeisque perturbationibus et ad se ipsum reverti, neque ad eum qui speculativam agit vitam: is enim rationalem vitam supergrediens totus cupit superis esse similis. Sed iis dumtaxat conveniunt quorum substantia est secundum rationalem animam, corpore vero utuntur ut instrumento, neque corpus putant animae neque animam corporis esse partem, neque una cum corpore hominem perficere tamquam ex duabus partibus compositus sit, animā et corpore. **4c** Hic enim vulgaris quidam homo est, totus a generatione pendens ipsique sub-

---

*HB* || fuerint: fuerunt *R* || ad cuius humanae: ad quarum humane *MPT* || redigant: redigat *W* reducant *MPT*

**4b** purgativam vitam vivit: purgatiuam uiuit uitam *P* purgatiua uita uiuit $T^2$ || virili: uirilitate > uirili *R* || corporeisque: corporisque *R* || reverti: reuertitur *P* || neque ad: nec ad *R* || qui speculativam: quae speculatiuam *A* qui ad speculatiuam *L* || is enim: hijs enim *A* || superis: supernis *MPT* || similis. Sed iis dumtaxat conveniunt *om. R*—iis: his *AMTLHBN* is>his *P* || instrumento: istrumente *R* || neque corpus: nec corpus *R* || neque animam: neque anime *M* nec animam *R* || partem: partetur *A* || neque una: ne unam *R* || cum corpore: *sc. non putant animam una cum corpore hominem perficere.* || tamquam: quasi *M*

**4c** Hic: his *BN* || vulgaris quidam: uulgaris quidem *AMPT* uulgarius quidam *BN* ||

---

**4b** ad eum . . . qui . . . vitam vivit: πρὸς τὸν . . . δυνηθέντα ζῆν. *Simplicius, cum de homine qui ad repurgativam vitam vivendam valet loquitur, designare videtur hominem tali indole praeditum ut eiusmodi vitam appetat; si verbum* δυνηθέντα *quid valeret vidit Perottus, id in vertendo praetermittendum censuit, quippe cum manifestum esset eum, qui talem vitam ultro viveret, hoc vitae genus appetere.*

nititur: βούλεται.

neque: οὔτε ἔτι μᾶλλον. *In eo quem habuit libro Perottus vocem* μᾶλλον *non repperisse videtur.*

totus . . . superis esse similis: ὅλος εἶναι . . . τῶν κρειττόνων.

secundum rationalem animam: κατὰ τὴν λογικὴν μὲν ζωήν. "*Nunc quidem*" *inquit Schweighaeuser* "ζωὴ *idem valet ac* ψυχή." *Cf. 5a.*

putant animae: ψυχῆς νομίζουσι Pa Vha (*et codex Perottinus*) —ἑαυτῆς [*sive* αὐτῆς] νομιζούσης *reliqui perperam.*

**4c** Hic: οὗτος μέν. *Non interpretis igitur sed aut Simplicii aut librariorum culpa pronomen, quod nihil iam dictum respicit, hoc loco insolentius profertur. Haec fere supplenda sunt:* "*Neque igitur ad eum pertinent haec praecepta qui corpus sui esse partem existimat: hic enim vulgaris est homo*" *e.q.s.*

iectus, nihilo magis rationale quam irrationale animal existens, et ob eam causam non proprie dictus homo. Qui autem vere vult esse homo et propriam nobilitatem, quam deus praeter animalia ratione carentia hominibus gratificatus fuit, sibi restitui cupit, is dare operam videtur ut ita vivat eius anima rationalis sicuti natura ipsius requirit, ut imperet corpori, **5a** ut corpus excellat, ut non corpori tamquam parti conveniat sed eo tamquam instrumento utatur. Huic uni conveniunt morales civilesque virtutes, ad quas capessendas hi sermones nos hortantur.

Quod autem ille sit verus homo cuius substantia est anima rationalis, praecipue Platonis Socrates probavit in ea disputatione quam cum formoso Alcibiade Cliniae filio habuit. **5b** Quod Epictetus tamquam verum ponens docet sibi obtemperantes qua vita quibus-

---

quam irrationale animal: animal *VL* quam irrationale *R* quam irratione animal *N* || proprie: propriae *V* || Qui autem vere: qui autem *R* qui aut uere *M*—*in margine* NOTA, QVI NON DICATVR PROPRIE HOMO ET QVI PROPRIE DICATVR *R* || esse homo: esse uere homo *R* || animalia: animam *N* || ratione: rationem>ratione *N* || gratificatus fuit: gratificatus est *R* || restitui: restituit *R*

**5a** ut corpus: corpus *N* || capessendas: capescendas *MWR* capiscendas *PT* || Platonis: platononis *R* || Alcibiade: Alcibiadae *VW* || Cliniae: Cline *P* cliuie *T*

**5b** SOCRATES PLATONIS *FAVW* FORMOSVS ALCIBIADES *R*—SOCRATES PLATONIS QVID SIT VERVS HOMO *R* || obtemperantes: obtemperantes suaque seruantes precepta *M insitiva verba seclusit m.1* || qua vita *e.q.s. et hîc exstant in A et paulo post (5c) iterantur.* ||

---

totus a generatione pendens ipsique subiectus: συμπεφυρμένος τῇ γενέσει καὶ ὑπ᾽ αὐτῆς καταπεπονημένος. *De verborum significatu vide, sis, Schweighaeuseri adnotationem.*

sibi restitui: ἀνακτήσασθαι, *proprie ' recuperare.' Fierine potuit ut Perottus mediam et passivam vocem internosse non posset?*

dare operam videtur: φυλάσσει Arg—σπουδάζει Pa Pb Pc Pi (*et codex Perottinus*).

**5a** non corpori tamquam parti conveniat: οὐχ ὡς μέρει συντεταγμένῳ, *i.e., anima corpore* non ut parte sibi coniuncta *sed ut instrumento utitur. Quid Perottus legerit, dubium.*

capessendas: *Adiecit Perottus interpretationis gratia.*

anima rationalis: κατὰ τὴν λογικὴν ψυχήν. *Cum eadem fere verba Latine redderet ante* (*4b*), ' secundum ' *male posuit interpres.*

in ea disputatione quam . . . habuit: διαλεγόμενος.

**5b** Quod Epictetus tamquam verum ponens: ὁ ⟨δὲ Ἐπίκτητος⟩ ὑπόθεσιν ταύτην λαβών. *Epicteti nomen, quod hoc loco adiecit Schweighaeuser, cum omnibus in libris sibi notis nil praeter pronomen* ὅς, *quod manifesto ad Socratem spectaret, invenisset, codex Perottinus servasse videtur;*

que operibus eiusmodi hominem perficere possint. Nam quemadmodum corpus cum naturales suos motus intendit exercetur efficiturque robustius, eodem modo anima per naturales eius operationes ad naturalem habitum suam substantiam refert. Verum nihil nos impedit vel potius necessarium est **5c** ut, quod Epictetus tamquam verum ponit, hominem animam rationalem esse quae corpore tamquam instrumento utatur, ante ceterarum rerum expositionem aperiamus atque probemus. Etenim Epictetus, cum operationes tali homini convenientes et eius proprias ante oculos ponat, hortatur admonetque sibi obtemperantes ut eas intelligant exerceantque, quo per illas, ut diximus, propriam quoque substantiam perficiamus. Quod autem is proprie homo sit, non ostendit sed quemadmodum diximus ponit.

**6a** Socrates igitur, cum per sensum accepisset hominem ut malleo sic etiam manu uti ad operationem, et ad haec assumpsisset aliud

---

eiusmodi hominem: cuiusmodi hominem *A(bis)MPT* || perficere possint: perficere possit *W* || corpus *om. T* || eius operationes: suas operationes *R* || habitum suam: habitum suum *BN* || impedit: impendit *W*

5c utatur: utitur *P* || ceterarum: exterarum *A* (*bis*) || aperiamus: experiamus *R* || Epictetus cum: cum Epitetus *P* || obtemperantes ut eas: obtemperantes qua vita quibusque operibus [*e.q.s. 5b*] . . . obtemperantes ut eas *A iterata verba seclusit m.1* || quo per illas: quo per illam *L* || propriam quoque: propriamque *A* || is proprie: hiis proprie *A*

6a et ad haec: quo ad haec *A* quo ad hoc *MPT* || aliud quo perinde ac instrumento

---

*nam quis est qui credat Perottum tanta philosophiae cognitione imbutum tantaque in vertendo diligentia usum, ut haec de Socrate non intellecturus fuerit, si nomen Epicteti in textu non invenisset?*

perficere: τελεώσασθαι.

nos impedit: ἐμποδίζει τῇ σχολῇ, *i.e.* ‘ *obstat explicationi.*’

**5c** hominem: ὁ ἀληθῶς ἄνθρωπος. *Adverbium fortasse e codice Perottino exciderat.*

ante ceterarum rerum expositionem: πρὸ τῆς τῶν κατὰ μέρος ἐξηγήσεως.

ut eas intelligant: γινώσκειν τε αὐτὰς ἀκριβῶς. *Adverbium iterum non vertit interpres noster; qua de causa ita fecerit, ambigo.*

ponit: εἰς ὑπόθεσιν λαμβάνει. *Notandum est in versione deesse verba* ‘ tamquam verum ’ *quae ad* ὑπόθεσιν *significandam supra adhibuit Perottus.*

**6a** cum per sensum accepisset: λαβὼν ἐκ τῆς ἐναργείας—ἐνεργείας *omnes,* ἐναργείας *scripsit Wolfius. Cum neutri verbo Graeco satis conveniat id quod in versione invenimus, quid in codice suo habuerit Perottus, valde dubium.*

malleo: τῇ σμίλῃ—σμύλῃ **Arg** σμήλῃ **Pa.**

esse quod utitur, aliud quo perinde ac instrumento utitur, conclusit hominem esse id quod corpore utitur ut instrumento—utitur vero corpore ut instrumento tum in artificiis tum in aliis operationibus dumtaxat anima rationalis—hominem igitur esse animam rationalem, quae corpore utitur ut instrumento. Deinde, cum rursus ex iis quae diximus assumpsisset id quod corpore utitur ei imperare quo utitur, dividendo in hunc modum interrogat: **6b** "Hominem" inquit "necesse est aut animam esse aut corpus aut utrumque. Si igitur homo quidem imperat corpori, corpus vero non imperat sibi ipsi, corpus non esse hominem manifestum est. At neque utrumque homo est secundum eandem rationem. Nam si homo est qui imperat corpori, cum corpus non imperet, profecto non erit utrumque quod imperat. Praeterea, si corpus per se ipsum immobile et mor-

---

utitur *om. L* ‖ conclusit: conduxit *R* ‖ utitur vero corpore ut instrumento *om. L* ‖ in artificiis: in artificis *WHR* ‖ Deinde cum: deinde *M* ‖ rursus ex iis: rursus ex his *LHMPTNBR* ‖ assumpsisset: assumpsisse *B* adsupressisset *R*

**6b** aut animam: autem animam *R* ‖ homo quidem imperat: homo imperat *L* ‖ sibi ipsi *om. R* ‖ neque utrumque: nec utrunque *R—in margine* NOTA HIC *R* ‖ cum corpus: corpus uero *R* ‖ quod imperat: quod imperet *P*

---

aliud quo perinde ac instrumento utitur: τὸ ᾧ χρῆται ἄλλο, ὡς ὄργανον. "*Possit commodius videri hîc pariter, sicuti mox bis deinceps,* ὡς ὀργάνῳ *legere"—Schweighaeuser, qui lectionem codicibus traditam invitus in textum recepit.*

dumtaxat anima rationalis—hominem igitur esse animam rationalem, quae corpore utitur ut instrumento: οὐκ ἄλλο τι ἢ ἡ λογικὴ ψυχή {ἡ ὡς ὀργάνῳ χρωμένη τῷ σώματι}. *Verba uncis inclusa, quae exhibent omnes codices, seclusit Wolfius, delevit Schweighaeuser. Si vero interpres noster verba a se excogitata iis, quae e Graeco verbum pro verbo ponens deprompsit, numquam adiecisset, concludendum plane nobis erat codicem suum veriorem lectionem quam ceteros omnes hoc loco servasse; nam verba quae ut redundantia seclusit Wolfius cum iis quae in versione Perotti praecedunt adeo congruunt, ut viros doctos, qui Simplicianum commentarium recensuerint, ea numquam deleturos fuisse credamus, si in codicibus aliqua verba ei loco praemissa verbis a Perotto adhibitis respondentia repperissent.*

imperare: ἄρχει πανταχοῦ.

interrogat: ἐρωτᾷ. *Verbum interrogandi recte adhibuit Perottus Ciceronem fortasse secutus.*

**6b** rationem: αἰτίαν.

praeterea: ὅλως δέ.

tuum est, anima vero quae movet—**6c** videmus autem in artibus artificem quidem esse qui moveat, instrumenta vero artis quae moveantur—palam est quod corpus instrumenti rationem habet ad animam. Anima igitur homo est; et qui cupit hominis curam suscipere, animae rationalis curam suscipiat et circa propria eius bona versetur. Nam qui corporis curam habet, non hominis neque eorum quae nostra sunt sed instrumenti habet curam. **7a** Qui vero pecuniis et ceteris eiusmodi rebus intentus est, is neque hominis neque instrumenti eius sed eorum quae instrumenti sunt curam habet."

NICOLAI PEROTTI

DE GRAECO TRANSLATIO PROOEMII

FINIT FELICITER

---

**6c** quae moveantur: quae mouentur *LR* que moueatur *W* || Anima igitur: *in margine* ARGVMENTVM QVOD HOMO NON SIT CORPVS VEL CORPVS EST ANIMA SIMVL *R* || hominis curam: hominem curam *R* || sunt sed: sunt *N* || instrumenti habet curam: instrumenti curam habet *L*

**7a** Qui vero: qui *R* || pecuniis: pecunie *PT* || eiusmodi rebus: huiusmodi rebus *PMR* || neque hominis neque: nec hominis nec *R* || instrumenti eius sed eorum quae instrumenti sunt curam: instrumenti sunt curam *V* instrumenti curam *L*

*Subscriptio deest in MR*; *in N nil praeter* Finis Simplicij || finit feliciter: finit *H* incipit *L* foeliciter finit *B*

---

**6c** rationem: τάξιν.

eorum quae nostra sunt: τῶν ὄντως ἡμῶν—ὄντων *omnes praeter* Pa *qui vocabulum omisit*; ὄντως *Vossius scripsisse videtur.*

**7a** intentus est: σπουδάζων.

EPICTETI PHILOSOPHI

ENCHIRIDIVM

INCIPIT FELICITER

**1,1** EORVM QVAE sunt, quaedam in nobis sunt, quaedam non sunt in nobis. In nobis quidem opinio, appetitio, declinatio, et, ut breviter dicam, quaecumque nostra opera sunt. Non in nobis vero

---

*Inscriptio deest in M* ‖ Epicteti: Epiteti *WPT* Epitecti *R* ‖ Enchiridium: encridium *R* ‖ incipit *om. N* ‖ feliciter *om. NHPR*

**1,1** QVAE IN NOBIS ESSE DICANTVR *FAVWR*—QVAE IN NOBIS NON SVNT *FAVWR* ‖ quaedam in nobis sunt *om. BN*—in nobis sunt: sunt in nobis *R* ‖ non sunt: non *R* ‖ nostra opera:

---

**1,1** opinio, appetitio, declinatio: ὑπόληψις, ὁρμή, ὄρεξις, ἔκκλισις—*Vtrum tria an quattuor verba codex quo usus sit Perottus hoc in loco exhibuerit, in incerto habemus, nam fieri potuit ut tertium verbum sibi aliqua de causa praetermittendum censeret interpres noster, neque ubique tam religiose verbum verbo reddidit ut facile quid concludendum sit statuamus. Videmus enim in Enchiridii capite 48, 3, verbum* ' appetitio ' *pro Graeco* ὁρμή *positum, et eodem capite, §2,* ' appetitus ' *pro* ὄρεξις, *sed haec verba quasi idem valere credidit Perottus, ut colligere possumus ex iis quae in Cornucopiae suo adnotavit: " appetitus, quem Graeci* ὁρμὴν *dicunt " et alias latius: " ab* ' appeto ' *appetitio, quae a Graecis* ὁρμή, *huc atque illuc rapiens atque impellens; ex quo fit ut expetitio praesit, appetitio obtemperet. Item appetitus et appetentia; Plin.: ' Vsus eius cum aceto cibi appetentiam facit '; Graece* ὄρεξις *dicitur, quod vocabulum Latini usurpant pro vehementi illa edendi aviditate, quae a vomitu fieri solet; Iuvenalis: ' Rabidam facturus orexim,' idem: ' Hinc surgit orexis '. . . . Idem est enim esuritio et orexis." (Cum multae fuerint Cornûscopiae editiones et omnes, quoad videre potuimus, inter se fere similes ac verborum tum Latinorum tum Graecorum indicibus instructae, quo facilius ea, quae ad unumquodque verbum referuntur, inveniri possent, nullam sive columnarum seu paginarum notationem ad locos, quos ex eo libro deprompsimus, adponimus. Editione quae Basileae anno 1526 prodiit plerumque usi sumus.) Verisimile esset Perottum verbum* ' appetitus ' *statim post* ' appetitio,' *quod verbum eandem fere vim habet, ponere*

corpus, possessio, gloria, et, ut brevi complectar, quaecumque non sunt opera nostra.

1,2 Et ea quidem quae in nobis sunt, naturā libera sunt, a nullo vetita, a nullo impedita; quae vero non in nobis, imbecillia, servilia, impedita, aliena.

1,3 Memento quod si ea quae naturā libera sunt servilia putaveris, et quae aliena, propria, multa tibi aderunt impedimenta; gemes, turbaberis, accusabis deos atque homines. Si vero quod

---

opera nostra *T* ‖ brevi: breuius *T* breuiter *MPR*

1,2 Et ea: ea *MPT* ‖ imbecillia: imbecilla *VL* imbecilia sunt *MPT*; *cf. Cornucopiae: "imbecillis sive imbecillus, debilis."*

1,3 Memento: mentio *R* ‖ et quae aliena: queque aliena *MPT* ‖ turbaberis: turbaueris

---

*noluisse, nisi respiceremus locum paulo post subiectum, quo ea quae in nostra potestate non sunt enumerantur; nam, cum nulla excogitari causa possit, quapropter Perottus magistratus inter alia non enumerandos iudicaverit, verbum Graecum* ἀρχαί *a suo codice omnino afuisse videtur, et cum tria ista, quae aliena dicuntur, melius cum tribus solis, quae in nostra potestate sunt, manifeste congruant, fatemur nobis quidem interpretem nostrum textum, quem ante oculos habuisset, diligenter fideliterque hoc in loco secutum videri.*

corpus, possessio, gloria: τὸ σῶμα, ἡ κτῆσις, δόξαι, ἀρχαί—δόξα Pg. *Cum* δόξα *proprie gloria sit, et* δόξαι *aliorum de nobis opiniones, ex quibus gloria forsitan nobis tribuatur, verbum Graecum sive singulariter sive pluraliter scriptum eodem verbo Latino, quod necessarie singulariter tantum scribitur (nam gloriae sunt res praeclare gestae), interpreti reddere licet; quamobrem Vptonus, vir sane doctus, qui verbum Graecum pluraliter scriptum in textu servaverat, in versione scripsit* 'gloria'. *Manifestum est nos hoc e loco nil de codice Perottino elicere posse; similia posthac praetermittemus.*—ἀρχαί *habent codices omnes quos adhibuit Schweighaeuser, sed sine dubio verbum si in libro quem habuit repperisset Perottus, hoc loco, ut in capite 15,* 'magistratus' *scripsisset.*

1,2 a nullo impedita: ἀπαραπόδιστα Pa Pb Pc Pi Pe—ἀπαρεμπόδιστα *ceteri. Eodem modo utrumque verbum reddere potuit Perottus.*

impedita: κωλυτά. *Accuratius Politianus: "quae prohiberi possint."*

1,3 quae naturā libera sunt servilia: τὰ φύσει δοῦλα ἐλεύθερα—ἐλεύθερα δοῦλα Ax Pa Pbx Pc Pi Pg *quibuscum consensit codex quo Perottus usus est. Inter manuscriptos quos siglis a Schweighaeusero adhibitis hîc commemoramus, notandi praesertim sunt* Pa *et* Pg, *qui, ut videbimus, saepius cum Perotti codice consentiunt.*

multa tibi aderunt impedimenta: ἐμποδισθήσῃ.

tuum est id dumtaxat tuum esse existimaveris, alienum vero ita ut est alterius esse, nemo te umquam ad aliquam rem coget, nemo prohibebit; neminem accusabis, nemini irasceris, nihil ages invitus, nemo tibi nocebit; inimicum habebis neminem, mali nihil patieris.

**1,4** Cum igitur res tales tantasque appetes, memento non posse ad eas perveniri motu mediocri, sed aliqua omnino derelinquere oportet, aliqua in aliud tempus differre. Quod si et haec velis et una imperare ac divitiis frui, fortassis neque haec consequeris, cum priora appetas, et illorum omnino expers eris per quae dumtaxat libertas beatitudoque acquiritur.

**1,5** Omni tuae imaginationi fac discas confestim ita dicere:

---

*W* perturbaberis *L* ‖ quod tuum est id: id quod tuum est *R* ‖ te umquam ad: te ad *L* ‖ patieris: patiris *R*

**1,4** appetes: appetis *M* ‖ perveniri: peruenire *T* ‖ omnino: de omnino *R* ‖ oportet . . . adsit tibi [2,2]: *haec verba post "demens sis atque insatiabilis [25,4]" iterata in L* ‖ quod si: quod *R* ‖ haec velis: hoc uelis *M* ‖ ac divitiis frui: et diuitiis ferri *R* ‖ fortassis: fortasse *L(bis)R* ‖ neque haec: neque et hec *L(bis)* nec hec *R* ‖ priora appetas: peiora appetas *L primo loco* ‖ omnino: animo *MPTR*

**1,5** NOTA, QVOMODO CIRCA QVAMLIBET IN MAGINATIONEM TVAM ET HABERE OPORTEAT *R*

---

**1,4** differre. *Sententiam ita claudunt codices omnes praeter* Pg, *qui hîc habet* καὶ προηγουμένως ἑαυτοῖς ἐπιμελεῖσθαι *unde orta est Politiani versio: "ac primo tui ipsius curam agere." Codex Perottinus, qui compluribus in locis eandem lectionem quam* Pg *habuit, hîc insiticiis (ut videntur) verbis caruit.*

divitiis frui: πλουτεῖν— *Sic omnes praeter* Pg, *qui adicit* καὶ τοὺς οἰκέτας ἐπανορθοῦν, *verba quae quidem reddidit Politianus: "et domesticos dirigere."*

per quae dumtaxat: δι' ὧν μόνων *omnes.*—μόνον *in quibusdam Nili codicibus legitur, sed quid hoc loco legerit Perottus non satis compertum habeo.*

**1,5** imaginationi: φαντασίᾳ τραχείᾳ—*Haec verba habent codices omnes quos Schweighaeuser adhibuit, sed ad locum vir doctus adnotavit: "Quod vero Wolfius ait,* τὸ τραχείᾳ *nonnullos codices non habere, in eo nescio quid humani passus est: sane quotquot in meam notitiam venerunt, eam vocem agnoscunt . . . nec Politianus . . . vocem illam praetermisit." Et nos quoque Perottum nescio quid humani in vertendo passum esse fortasse putaremus, nisi versionem suam hoc in loco plane cum codicibus a Wolfio commemoratis congruere videremus; ex quo statuimus nobis cavendum esse, ne Perottum iis locis, ubi aliquid contra omnium codicum editoribus notorum consensum ponat aut praetermittat, erravisse nimis leviter existimemus. Quid lectiones a Perotto servatae valeant, viderint viri docti qui in Epictetea philosophia diutius versati sunt* "imaginatio es; non id es quod videris." Post hoc eam diligenter examina, et iuxta praecepta quae dedimus pensicula—et praesertim iuxta primum illud maximumque praeceptum, utrum circa ea sit quae in nobis sunt, an circa ea quae non sunt in nobis. Quod si circa quippiam eorum quae non sunt in nobis id esse compereris, fac tibi continuo in promptu sit id nihil ad te attinere.

---

|| post hoc: post hec *L(bis)R* || et praesertim: ac presertim *L(bis)* || utrum circa ea: utrum ea *W* || quae in nobis sunt an circa ea *om. BN* || quod si circa quippiam eorum quae non sunt in nobis *om. N*—quippiam: quopiam *R* || id nihil ad te: id ad te nihil *L(bis)*

---

*quique novam Enchiridii editionem fortasse curabunt, quo in munere omnes melioris notae codices adhibendi erunt, quo facilius liceat de unoquoque verbo iudicare. Sed ne quid sentiam reticere videar, fateor Perottinam versionem mihi equidem hoc in loco adridere, cum Epictetus non solum de asperis imaginationibus, sed de omnibus quascumque animo concipiamus, loqui videatur, nam quemadmodum asperam (e.g. imminentis mali) visionem nihil ad nos attinere docet, ne terreamur, sic etiam iucundam (e.g. gloriae appetendae) visionem, ne ab animi cura avocemur. Verbum* τραχείᾳ *e Simpliciano commentario ortum puto, nam ibi (43b) leguntur:* τραχείας δὲ τὰς τοιαύτας φαντασίας ἐκάλεσεν [*sc.* ὁ Ἐπίκτητος], ὡς ἀλόγους καὶ παροίστρους, καὶ τραχυνούσας ὄντως τὴν ζωὴν τῇ ἀσυμμετρίᾳ καὶ ἀνωμαλίᾳ τῶν κινήσεων. *Haec enim verba non ad hunc* Enchiridii *locum spectare mihi videntur, sed potius ad quintum* Epicteti Dissertationum *librum, ubi Epictetus, ut ex iis quae apud Aulum Gellium adservantur (XIX, 1 = Epicteti fragmentum IX apud Schenkl, i. q. CLXXX apud Schweighaeuserum) satis apparet, verbo* τραχείᾳ *significatum quasi privatum atque peculiarem tribuens, uberius ac fusius disseruit de iis visis quae* φαντασίας τραχείας *appellabat. Haec sunt visa, plerumque terrifica, quae tam vehementer tamque repentine inopinanti et quasi incauto animo offeruntur, ut ne sapiens quidem se a quibusdam corporis motibus rapidis et inconsultis (quos hodierni sophistae Anglice "reflex actions" nominant) continere possit.*

discas: μελέτα—μάθε Ax Pa Pbx Pc Pi Pg; *habet et Politianus* 'disce.'

quae dedimus: οἷς ἔχεις.

circa quippiam: περί τι *omnes praeter* Pg, *qui* τι, *verbum quod manifeste Perottus suo in codice legit, omittit.*

fac tibi continuo in promptu sit: πρόχειρον ἔστω.

nihil ad te attinere: Οὐδὲν πρὸς ἐμέ Pg *et codex quo usus est Politianus, qui reddidit: "Nihil ad me."*—σέ *habent reliqui et codex Perottinus.*

**2,1** Memento appetitûs quidem finem esse id consequi quod appetimus; declinationis vero, id evitare quod declinamus. Quicumque non assequitur quod appetebat, frustratus opinionem dicitur;

---

2,1 QVID SIT FINIS APPETITVS *R*—QVID SIT DECLINATIONIS FINIS *R* ‖ evitare: euenire *W* ‖ frustratus opinionem: frustratus opinionem opinionem *A* frustratus opinioni *MPT* frustratus opinione *R* *Verbum frustrandi, quod inter ea quae, cum mediam tantum vocem habeant, deponentia dicunt grammatici, numerare solemus, Perottus plerumque duxit in numero verborum quae voces activam et passivam habent, ut satis constat ex Cornûscopiae loco quo scripsit:* "Frustra, *adverbium . . . a quo fit* frustro *verbum, quod est fallo, deludo, et passivum eius* frustror, *quod* etiam *deponens reperitur.*" *Cf. infra, 2,2, "frustratum iri oportet laborem tuum"; media autem eiusdem verbi voce usus est infra, 14,1, et in praefatione, 4.*—opinionem. *Ablativum nominis casum fortasse exspectes, sicut apud Velleium Paterculum (II,21,2) legimus: "Pompeius . . . frustratus spe continuandi consulatûs. . . ." Apud Perottum enim vir, de quo haec dicuntur, ita deceptus est opinione, quam animo conceperat, ut ipse, spe ad irritum redacta, frustra esset. Sed fortasse quaeres quanam verborum constructione Perottus sermonem conformaverit: me ambigere fateor utrum Perottus accusativum partis quasi poëtice post participium passivum posuerit (apud Vergilium enim Aeneas "mentem pressus" et "animum labefactus" dicitur) an verbi deponentis infinitivum perfectum scripserit eodem modo ac si dixisset* 'is opinionem suam fefellisse dicitur' *seu* 'is exspectationem suam decepisse dicitur' *(quod mihi verisimilius videtur) an* 'frustrari' *pro* 'frustra petere' *accipiens haec fere dicere voluerit:* 'is opinionem suis conatibus, tamquam scopum aliquo telo, frustra petiisse

---

2,1 appetitûs: ὀρέξεως.

finem: ἐπαγγελία.

consequi: ἐπιτυχία Ax Pb Pc Pi—τὸ ἐπιτυχεῖν Pd Pe Pf Pg Arg (*lacuna in* Pa). *Verisimile est Perottum, si nomen substantivum in codice suo legisset, hoc in loco* 'adeptio eorum quae appetimus' *scripturum fuisse.*

appetimus: ὀρέγῃ *omnes.—Qua de causa Perottus secundam personam in primam mutaverit, ambigo. Fortasse in codice suo legit* ὀρέγεται, *quod habent codices Nili nonnulli; pro eo verbo facile in versione* 'quae ⟨a nobis⟩ appetuntur' *scribere potuit, unde melius ac limatius,* 'quae appetimus.'

declinamus: ἐκκλίνεται—ἐκκλίνεις Pg *quocum consentiunt et paraphrasis Christiana et Politiani versio, "quod declinas." Cf. quae supra adnotavimus.*

frustratus opinionem: ἀτυχής *omnes praeter* Pg, *qui* ἀποτυχής *habet. Politiani versio cum codicibus reliquis consentit. Apparet codicem, quem adhibuerit Perottus, cum* Pg *consentire; num veriorem lectionem adservarit, viderint docti. Qui appetit ea quibus potiri non potest, 'frustratus' (ut verbo, quod insolito significatu Perottus adhibuit, utar) melius quam infortunatus dicitur.*

quicumque in id incidit quod declinabat, infelix existimatur. Quapropter si ex iis quae in te sunt ea tantum declinaveris quae praeter naturam esse dicuntur, numquam profecto in ea incideris quae declinas. Quod si aegritudinem declinaveris vel mortem vel paupertatem, infelix eris. **2,2** Aufer igitur declinationem ab omnibus quae non sunt in nobis, et ad ea transfer quae in nobis quaeque praeter naturam sunt. Appetitum, quantum ad praesens attinet, prorsus fuga: nam sive eorum quippiam appetas quae non sunt in nobis, frustratum iri oportet laborem tuum; sive eorum quae in nobis sunt, cum bonum sit quod appetis, nihil est quod adhuc adsit tibi. Appetitione dumtaxat et declinatione sedate leviter remisseque utaris.

---

dicitur.' ‖ existimatur: existimabitur *M* ‖ ex iis: ex his *MTHBN* in hiis *P* ex eis *R* ‖ dicuntur: dicunt *R* ‖ si aegritudinem: egritudinem *R*

**2,2** transfer: transfert *P* ‖ quae in nobis: que in nobis sunt *R* ‖ nam sive eorum: nam sine eorum *A* nam siue horum *R* ‖ nihil est *om. H* ‖ appetitione dumtaxat: appeticione dumtaxat appeticione *MPT* ‖ et declinatione: declinacione *M* ‖ leviter: leuiterque *L*

---

dicitur . . . existimatur: *Haec licentius addidit Perottus, qui Simplicianum respexerat commentarium:* διορίζει [ὁ Ἐπίκτητος] τίνας μὲν ἐπιτυχεῖς καὶ εὐτυχεῖς καλοῦμεν . . . .

aegritudinem: νόσον, *melius 'morbum' sive 'aegrotationem'; cf. Perotti praefationis cap. iii et ea quae ad locum adnotavimus.*

infelix: δυστυχής.

**2,2** frustratum iri oportet laborem tuum: ἀτυχεῖν ἀνάγκη *omnes praeter* Arg *et* Pe, *qui perperam* εὐτυχεῖν, *et* Pg, *qui* ἀποτυχεῖν *hoc in loco, ut supra* ἀποτυχής, *habet. Cf. infra 14,1.*

cum bonum sit quod appetis: ὅσων ὀρέγεσθαι καλὸν ἄν—ἄν *om.* Pd Pg. *Sed confer quae ad locum Schweighaeuser adnotavit:* " ὅσον *solum tenuêre Edd. Gen. Lugd. Bat. 1634 Amst. 1670. . . . At Mstus liber ex omnibus nostris nullus* ὅσον *agnoscit, nisi Haf. cum Nilo, et unus e quatuor codd. Paris. Paraphraseos. . . . Eam tamen scripturam et Politianus in versione expressit." Politianus vero sic reddidit: " quantum vero . . . appetere expediat, nondum tibi constat." Perottus mihi videtur* ὅσων *et* ἄν *legisse.*

appetitione . . . et declinatione: ὁρμᾶν καὶ ἀφορμᾶν.

leviter: μεθ' ὑπεξαιρέσεως.

3 In omnibus quae tibi usui ac voluptati sunt quaeque a te amantur, fac semper memineris dicere qualia quaeque sint, et a minimis quidem incipiens. Si ollam moveas, movere te ollam dixeris, et ea fracta non turbaberis; si filium, si uxorem ames, amare te homines, et defunctos haud aegre feras.

4 Si quid incipere volueris, attendito quale id opus sit quod incepturus sis. Si lavatum ieris, pone tibi ante oculos ea quae in balneis fieri solent: alios esse qui ceteros aquis madefaciant, alios qui pellantur, alios qui conviciis appellent, nonnullos qui furentur; hoc pacto securius incipies opus, si confestim dixeris: " Volo equidem lavari, sed electionem meam secundum eius naturam se habentem tueri." Idem in singulis tuis operibus facies, et si quid inter lavan-

---

3 In omnibus: in nobis *R* || moveas: moueris *MT* || uxorem ames: uxorem amas>ames *A* uxores amas>ames *P* || haud: aud>haud *WR* aut>haud *H* || aegre feras: egroferem (?)> egroferes *R*

4 incepturus: incepturos *T* incocturus *R* || qui pellantur: que pellantur *R* || alios qui: alii qui *R* || furentur: forent>furant>fuererentur *N* || securius: securus *P* || Idem: item *R*

---

3 quae tibi usui ac voluptati sunt quaeque a te amantur: τῶν ψυχαγωγούντων ἢ χρείαν παρεχόντων ἢ στεργομένων.

semper: *Adiecit interpres, ut solet.*

ollam moveas: χύτραν στέργῃς—σείῃς Pi Pb σείεις Pa.

movere te: στέργω—σείω Pa Pb Pi, *quibuscum manifeste consensit codex Perotti, qui orationem rectam in obliquam interpretationis causa mutasse videtur.*

ames: καταφιλῇς—*Perottus verbum, quod proprie idem quod* 'osculari' *valet, non plane intellexit. Politianus: " amas."*

non turbaberis . . . haud aegre feras: οὐ ταραχθήσῃ . . . οὐ ταραχθήσῃ. *Interpreti vero displicuerunt et concinnitas verborum Graecorum, quam noluit in versione imitari, et asperitas huius de fili uxorisve morte sententiae, quam ita in vertendo mitigavit ut haec fere dicantur: " cum olla fracta* erit, *non conturbaberis; si filius sive uxor* moriatur, *non graviter conturberis."*

4 quod incepturus sis: *Haec adiecit Perottus, interpretationis causa.*

qui pellantur: ἐγκρουομένους—ἐνσειομένους Pg *et, ut videtur, codex Perottinus.*

electionem meam secundum eius naturam se habentem: τὴν ἐμαυτοῦ προαίρεσιν κατὰ φύσιν ἔχουσαν.

facies, et: *Scripsit interpres ut duae periodi inter se ineptissime congluti-*

dum tibi impedimento fuerit, illud sit tibi semper in promptu: " Equidem non modo lavari volebam, verum etiam electionem meam secundum eius naturam se habentem custodire; at non recte custodire videar, si aegre feram quae casus tulit."

5 Turbant anguntque homines non res ipsae, sed opiniones quas de illis animo conceperunt. Mors enim malum non est—nam et Socrates eam malum iudicasset—sed opinio quam iam animo concepimus mortem malum esse, ea vero malum est.

Cum igitur aliquid nobis oberit vel cum turbabimur vel graviter quippiam aut moleste feremus, meminerimus non aliam earum rerum causam esse quam nos ipsos, hoc est, nostras opiniones. Hebetes

---

|| illud sit: id sit *P* || in promptu: in promtum *H* improntu *W* || equidem: et quidem *P*—*in margine* NAM PROVISA MINVS LEDERE TELA SOLENT *R* || verum etiam: uerum *T* || se habentem custodire: se habentem tueri idem in singulis [*e.q.s.*] . . . se habentem custodire *V* || at non recte custodire *om. MPT* || videar: uideam *MPT* uideat *R*

5 NON RES SED OPPINIONES NOSTRE DOLOREM NOBIS AFFERVNT *R* || nam et: *sic Perottus pro ' alioqui.'* || eam malum: eam malam *MPT* malum eam *R* || iam animo: animo *L* || ea vero malum est *om. T*—est *om. AW* || feremus: feramus *N* || aliam: alia *R* || esse

---

*narentur, nulla habita ratione vocabulorum* οὕτω γάρ *quibus altera incipit periodus. Debuit vero reddere: " Et similiter ⟨fac⟩ in omnibus quae agis. Hac enim ratione, si quid . . . fuerit,* erit *tibi in promptu " e.q.s.*

inter lavandum: πρὸς τὸ λούσασθαι.

lavari volebam: τοῦτο ἤθελον.

at non recte custodire videar: οὐ τηρήσω—τηρῆσαι Pi. *Infinitivum fortasse hoc loco inveniens, Perottus* ' custodire videar ' *posuit, nam aliter* ' custodiam ' *vel* ' tuebor ' *certe scripsisset.*

5 turbant anguntque: ταράσσει.

opiniones quas . . . animo conceperunt: δόγματα.

de illis: περὶ τῶν πραγμάτων—περὶ αὐτῶν Ax Pb Pc Pg Pi, *unde orta est versio Perottina.*

mors: οἷον, ὁ θάνατος.

malum: δεινόν.

Socrates . . . iudicasset: Σωκράτει ἂν ἐφαίνετο.

graviter quippiam aut moleste feremus: λυπώμεθα, *quod proprie de luctu accipiendum est. Interpres solita circuitione ad orationem amplificandam usus videtur; nescio an Simplicium (67a) hoc loco respexerit.*

meminerimus non aliam earum rerum causam esse: μηδέποτε ἄλλον αἰτιώμεθα.

atque ineruditi homines, earum rerum quas ipsi non recte agunt alios esse causas arbitrantur; qui vero iam erudiri coeperunt et quasi initiati sunt, se ipsos; eruditi, neque alios neque se ipsos.

6 Noli aliorum virtutibus superbire. Si equus tuus superbiens dicat " pulcher sum," profecto tolerari potest. Tu vero si superbiens dixeris " pulchrum equum habeo," scito te bono equi superbire. Quid igitur tuum est? Opinionum usus. Ergo, cum in usu opinionum secundum naturam te habueris, tunc superbias licebit: tunc enim proprio bono superbies.

7 Quemadmodum navi in portum delata ac interim quiescente, cum forte ad hauriendam aquam exieris, praeter opus institutum et cocleas et tubera colligere potes; mente tamen tota ad navim res-

---

quam nos: esse quae nos *AW* || non recte: recte non *M* || alios esse: alias esse *MPTR* || coeperunt: ceperint *M* || neque alios: nec alios *T*

**6** bono equi: boni equi *P* || opinionum usus: opinionum *M* || secundum: secundam *R*

**7** COMPARATIO ELEGANTISSIMA *R*—NOTA AD MODVM *R* || portum: portu *R* || hauriendam:

---

hebetes atque ineruditi homines . . . alios esse causas arbitrantur: ἀπαιδεύτου ἔργον, τὸ ἄλλοις ἐγκαλεῖν.

et quasi initiati sunt: *adiecit Perottus, sive explendae orationis sive interpretationis causa.*

**6** superbire: ἐπαρθῇς.

bono equi: ἐπὶ ἵππου ἀγαθῷ *Vptonus*—ἐπὶ ἵππῳ καλῷ Pd Pe, *unde id Politiani:* " *ob pulcrum equum.*" ἐπὶ ἵππῳ ἀγαθῷ *reliqui omnes. Notandum est codicem quo usus sit interpres noster veram lectionem hoc in loco, ubi omnes codices quos adhibuit Schweighaeuser haud dubie depravati sunt, adservasse.*

opinionum: φαντασιῶν. *In vertendo adhibuit Perottus Simplicianum commentarium ubi (73a) invenit:* ὅπερ γὰρ ἐκάλεσεν ὑπόληψιν ἐκεῖ, τοῦτο νῦν φαντασίαν ὀνομάζει.

superbias licebit: ἐπάρθητι Pa Pf? Pg—ἐπαρθήσῃ Arg Pb Pi Pe εὐλόγως ἐπαρθήσῃ Pd Pf? Pg.

superbies: ἐπαρθήσῃ Arg Pe Pf Pg—ἐπαίρῃ Pa Pb Pi. *Hîc iterum veram lectionem interpres ante oculos habuit.*

**7** navi in portum delata ac interim quiescente: ἐν πλῷ, τοῦ πλοίου καθορμισθέντος—ἐν λιμένι Pa Pc Pi *et codex Perottinus.*

praeter opus institutum: ὁδοῦ μὲν πάρεργον. *Vtrum* ὁδοῦ *ex codice suo excidisset, an* ' obiter ' *scribere Perottus aliqua de causa noluerit, dubium.*

picias oportet frequenterque ad eam, si te forte gubernator vocet, oculos convertas. Quod si vocet, ea omnia relinquas et ad gubernatorem matures oportet, ne vinctus instar pecudum introducaris. Ita in hac vita, si pro cocleis sive tuberibus puella tibi seu filiolus detur, haud quaquam est recusandum, et tamen, si te gubernator vocarit, curras quam celerrime ad navim oportet, omnibus illis sine cura, sine sollicitudine relictis. Quod si senex sis, non erit tibi procul a navi abeundum, ne vocatus a gubernatore deficias.

8 Noli ea quae fiunt fieri ut vis, sed quae fiunt, ita ut fiunt, fieri velis et bene tecum actum erit.

---

hauriendum *MPTL* || respicias: respiceas *A* || quod si vocet *om. M* || matures: maturis *R* || sive tuberibus: aut tuberibus *L* || seu filiolus: uel filiolus *M* || haud quaquam: haud quamquam *W* || navim: nauem *R* || sollicitudine: solicitudine *FAW* || navi: nauibi *M*

---

si te forte . . . vocet: μή ποτε . . . καλέσῃ—μή τοι σε Arg Pb Pe μή τι σε Pd. *Manifestum est Perottum* σε *perperam in codice suo scriptam legisse. Quid sibi vellent verba Graeca intellexit quidem, inepte autem particulam* ' si ' *hoc loco posuit, male eos secutus scriptores apud quos " exspecto, si quid dicas " et similia leguntur.*

et ad gubernatorem matures: *Adiecit Perottus interpretationis causa.*

puella . . . seu filiolus: γυναικάριον καὶ παιδίον—ἢ (*pro* καὶ) Pd Pg *et codex Perottinus (nescio an melius)* παιδάριον Pg.

haud quaquam est recusandum: οὐδὲν κωλύσει.

quam celerrime: *Adiecit Perottus.*

sine cura, sine sollicitudine: μηδὲ ἐπιστρεφόμενος *e commentario et Nilo iure restituit Schweighaeuser, quamquam* μηδὲν *in omnibus codicibus invenit. Veram scripturam Perottus et Politianus (qui vertit " neque respiciens ") legisse videntur.*

vocatus a gubernatore deficias: καλοῦντος ἐλλίπῃς *omnes. Participium passivum* καλούμενος, *quod Vptonus hoc in loco e Simplicio restituere conatus est, repudiavit Schweighaeuser, sed id Perottus et Politianus, qui " ne forte vocatus desis " scripsit, in codicibus suis haud dubie legerunt. Post* ἐλλίπῃς *habet* Pg καὶ δεδεμένος βληθήσῃ. ὁ γὰρ ἑκὼν μὴ ἑπόμενος, ἀνάγκῃ τοῦτο πείσεται, *unde Politianus deprompsit versionem suam: " inque id vinctus coniiciaris. Qui enim volens non sequitur, necessitate hoc patietur." Similia in* Pf; *ea verba e Paraphrasi Christiana orta iudicavit Schweighaeuser.*

8 noli: μὴ ζήτει.

quae fiunt, ita ut fiunt, fieri velis: τὰ γιγνόμενα ὡς γίνεται—γίνεσθαι *ante*

9 Aegrotatio corporis impedimentum est, non electionis; claudicatio, non electionis sed tibiae impedimentum. Idem dicito in singulis quae tibi accident: ita enim non tuum sed alterius alicuius rei esse unumquodque impedimentum comperies.

10 Quicquid offenderis, memento ad te ipsum reversus quaerere quam vim ad eius usum habeas. Si formosum aut formosam offendisti, ad haec vim habes, abstinentiam; si tibi offertur labor, tolerantiam; si contumelia, patientiam. Hoc pacto te ipsum insuefacies, nec fallere te poterunt opiniones tuae.

11 Cave umquam dicas amisisse te aliquid: restituisse te semper dicito. Filius tuus diem suum obiit: restitutus est. E vita migravit uxor: reddita est. Ager tibi ablatus fuit: hic quoque redditus est.

---

9 tibiae: tibi *T* || accident: acciderint *P*

10 vim habes: vim habeas *L* || offertur: offeritur>offertur *F* offeritur *VWAMPTR* || insuefacies: usui facies *MT* usui facias *P*

11 restituisse te: restituisse *P* || ager tibi: *in margine* NOTA *FAVWR* || ablatus fuit: ablatus

---

ὡς *habet* Pd, *sed infinitivum ex eis, quae praecedunt, supplere interpres potuit.*

bene tecum actum erit: εὐροήσεις—εὖ ποιήσεις Arg Pc Pe Pg εὐδαιμονήσεις *Nilus. Codex Perottinus meliorem servasse scripturam videtur.*

9 non electionis: προαιρέσεως δὲ οὔ, ἐὰν μὴ αὐτὴ θέλῃ *omnes levi quadam lectionis varietate; Politianus enim vertit: " propositi vero minime, nisi ipsum velit." Cur haec verba interpres noster praetermiserit, non satis liquet.*

10 formosum: καλόν *omnes praeter unum codicem quem ex editione Villebrunii rettulit Schweighaeuser,* κακόν, *quod in codice suo legerat Politianus cum verteret: " si malum habeas."*

te . . . insuefacies: ἐθιζόμενόν σε—ἐνθιζόμενον Pa Pe.

11 amisisse te . . . restituisse te: ἀπώλεσα . . . ἀπέδωκα. *In editione Nili Romana* ἀπώλεσας *et* ἀπέδωκας *invenit Schweighaeuser. Verisimile est interpretem nostrum eadem verba in secundam personam flexa in suo quoque codice invenisse.*

diem suum obiit . . . e vita migravit: ἀπέθανεν . . . ἀπέθανεν. *Nihil de uxore habent* Arg Pe Pf Pg *et Politiani versio.*

ablatus fuit: ἀφηρέθην Pb Pi— ἀφηρέθη *reliqui, unde haud dubie versio Perottina fluxisse videtur.*

"At pravus est qui abstulit!" Quid tibi curae per quem agrum repetat qui eum tibi gratificatus fuit? Quamdiu tibi fruendum dimittit, tamquam alieno utere, tamquam alienum cura.

**12,1** Si quid proficere cupis, relinque cogitationes illas: "nisi mea diligenter curem, non erit unde vivam; nisi filium castigem, pravus erit." Praestat enim perire fame, omni dolore omnique metu liberum, quam in affluentia rerum omnium anxium semper atque sollicitum vivere. Nec tam damnosum est filium tuum pravum effici, quam te infelicem. **12,2** Quare a parvis rebus incipias oportet. Effusum est oleum? vinum furati sunt? Ita dicito: "Tanti venditur indolen-

---

est *N* oblatus fuit *T*[1] || qui eum tibi: qui cum tibi *APMT* qui tibi eum *L* || gratificatus fuit: gratificatus fuerit *T*[2] || alieno: alienum *MT* || utere: utetur *R*

**12,1** relinque: delinque *BN* || semper: semperque *W* || sollicitum: *in margine* NOTA *R*

**12,2** oleum: oleum in *R* || ita dicito: ita dicitur *L* || indolentia, tanti venditur *om.*

---

qui eum . . . gratificatus fuit: ὁ δούς.

fruendum dimittit: διδῷ—διδῶται Pd διδῶνται Pg, *unde id Politiani: "quousque autem tibi praebeantur." Perottus veram scripturam vertit.*

utere . . . cura: ἐπιμελοῦ. *Post hoc habent omnes* ὡς τοῦ πανδοχείου οἱ παριόντες, *quae et vertit Politianus: "ut hospitii viatores."*

**12,1** illas: τοιούτους. *Sed manifeste Perottus, qui alioquin hoc in loco ut alias* 'huiusmodi' *scripsisset,* τούτους *legit; cf. Politiani versionem: "has considerationes."*

non erit: οὐχ ἕξω. *Quamquam* 'non erit mihi' *fere idem ac* 'non habebo' *valet, fieri potuit ut Perottus in codice suo verbum* ἔσται *hunc in locum e proxima linea prave delatum inveniret.*

filium: παῖδα, *quod hîc puerum, i. q. servolum, significare videtur. Idem verbum rectius paulo post expressit Perottus: "puerum ad te vocaveris."*

anxium semper atque sollicitum: ταρασσόμενον.

nec tam damnosum est: κρεῖττον. *Interpres paulo ante pro eodem verbo* 'praestat' *scripsit.*

effici: εἶναι.

**12,2** oleum . . . vinum: ἐλάδιον . . . οἰνάριον—ὀνάριον Arg. *Epictetus, cum de rebus externis loquitur, verbis deminutivis uti solet, quorum vim satis diligenter exprimere aut nesciverunt aut noluerunt Perottus et Politianus, qui nuda verba* 'oleum' *et* 'vinum' *scripsere.*

indolentia: ἀπάθεια—εὐπάθεια Arg Pe Pg. *Cf. 29,7.*

tia, tanti venditur animi requies; nihil fit gratis." Cum puerum ad te vocaveris, memento fieri posse ut tibi non respondeat, et si respondeat, nihil faciat tamen neque tuis pareat praeceptis. "At hoc illi non conducit." Tibi vero aliquo modo conducet esse in illo tuae indignationis potestatem?

13 Si proficere cupis, patiaris oportet ut ex his quae extrinsecus cernuntur demens ac stultus habeare. Noli videri aliquid scire; quod si cui aliquid esse videaris, ne crede tibi ipsi, neque te lateat fieri non posse ut una et electionem tuam secundum eius naturam se

---

*VLMPT* || et si respondeat *om.* *H* etsi non respondeat *L* || tuis pareat: eius pareat *A* || aliquo modo: alico modo *W*

13 NOTA *R* || proficere: proficiscere *H* || te lateat fieri: fieri te lateat *R*

---

animi requies: ἀταραξία.

fit: περιγίνεται—παραγίνεται Pa Pb Pd Pf Pi. *Schweighaeuser: "Simplex* γίνεται *habet Stobaeus. . . . Id ipsum significari etiam videtur in nostro cod.* Pa *ubi initium verbi* παραγίνεται *subducta lineola notatum est." Idem fortasse in codice Perottino.*

respondeat: ὑπακοῦσαι.

nihil faciat tamen neque tuis pareat praeceptis: μηδὲν ποιῆσαι ὧν θέλεις—ποιήσας Pa ὡς θέλεις "*Edd. Hal. Bas. 1 et Naog.*"

at hoc illi non conducit. Tibi vero aliquo modo conducet: ἀλλ' οὐχ οὕτως ἐστὶν αὐτῷ καλῶς, ἵνα—*Post* καλῶς *habent* Pa Pb Pd Pi ὅλως δὲ σοὶ καλῶς, *unde manifeste fluxit versio Perottina. His verbis caruit codex quo usus est Politianus, qui etiam* οὗτος ἔστιν αὐτός *hoc loco legisse videtur.*

tuae indignationis potestatem: τὸ σὲ μὴ ταραχθῆναι—μή *om.* Pa Pd. *Notandum est Perottum haec verba Graeca satis accurate Latine reddidisse; cf. Schweig. ad loc.: "*τὸ σὲ μὴ ταραχθῆναι *idem prorsus ac* ἡ σὴ ἀταραξία *sonat." Politianus, nescio qua scriptura fretus, scripsit: "Sed non tanti is* [*sc. puer*] *est, ut propter eum tute perturberis."*

13 cui aliquid esse: τις εἶναί τισι—τισὶν εἶναί τι Pa, *et codex Perottinus.*

neque te lateat: ἴσθι γάρ.

fieri non posse: οὐ ῥᾴδιον. *Verbum* ῥᾴδιον, *etiamsi e codice suo plane excidisset, hoc loco vertere debuit interpres, si Simplicianum adhibuerat commentarium, quo (117c) quid verbum valeat sic exponitur:* καὶ ἀσφαλῶς οὐκ εἶπεν ἀδύνατον, ἀλλ' οὐ ῥᾴδιον, διὰ τὰς σπανίας φύσεις, καὶ τὰ σπάνια κινήματα τῶν μεγαλουργῶν ψυχῶν.

habentem custodias et ea quae exteriora sunt. Nam si alterius curam habeas, alterum negligas necesse est.

**14,1** Si vis ut filii tui et uxor et amici semper vivant, stultus es: ea enim quae non sunt in te, vis in te esse; quae aliena sunt, tua esse cupis. Eodem modo, si vis ne filius tuus peccet, stultus es: vis enim vitium non vitium sed aliud quiddam esse. In summa, nisi frustrari velis appetitum tuum, id appetas dumtaxat quod assequi possis.

**14,2** Is est uniuscuiusque dominus qui eas res, quas ipse vult aut non vult, dandi auferendive potestatem habet. Qui libertate frui desiderat, neque velit neque fugiat quippiam quod in aliorum potestate constitutum sit; aliter si fecerit, necessario servus erit.

**15** Memento te tamquam in convivio versari oportere. Si quid ad te affertur, extendens manum honeste capias. Praeteriit? Noli tenere.

---

**14,1** NOTA [[AD]] ANIMO>ANIMVM *R* || vivant: uiuunt *MPT* || vis in te *om.* *R* || peccet: peccat *AMPT* || quiddam: quidem *MPTR*

**14,2** auferendive potestatem: auferendi ut potestatem *AMT* auferendi potestatem *P* || habet: habeat *AMPT*

**15** NOTA *FAVW* || si quid: sed quid *L* || affertur: defertur *HBN* || extendens manum: extendes manum *P* extendens manus *W* ostendens manum *R* || Praeteriit: preterit *R*; *cf.*

---

alterius curam habeas: τοῦ ἑτέρου ἐπιμελούμενον Pd Pg Pi Ed. Ven. *et codex Perottinus.*—τὸν ἑτέρου ἐπιμελούμενον Arg Pa Pb Pc, *unde fluxit Politiani versio: "necesse est ut, qui alterum curet, alterum negligat."*

**14,1** semper: πάντοτε—*om.* Pb Pg Pi *et Politianus.*

filius tuus: τὸν παῖδα (*i. e. servolus*).

in summa, nisi frustrari velis appetitum tuum, id appetas dumtaxat, quod assequi possis: ἐὰν δὲ θέλῃς ὀρεγόμενος μὴ ἀποτυγχάνειν, τοῦτο δύνασαι. τοῦτο οὖν ἄσκει, ὃ δύνασαι. *Perperam* τοῦτο οὐ δύνασαι *habent* Pa Pb Pi. *Vtrum haec verba e codice exciderint, an ea Perottus praetermittenda duxerit, non satis liquet. Politianus: "Si autem velis appetens aliquid, eo non excidere, hoc potes: hoc igitur exercere potes."*

**14,2** quod in aliorum potestate constitutum sit: τι τῶν ἐπ' ἄλλοις.

**15** tamquam in convivio: ὅτι ὡς ἐν συμποσίῳ—ὡς *om.* Pb Pc Pi, *unde ortum est id Politiani: "Memento, oportere te in convivio versari". Veram scripturam servavit codex Perottinus, nec habuit* ὅπως, *quod an hîc legendum esset dubitavit Schweighaeuser.*

praeteriit: παρέρχεται. *Interpres praeteritum perfectum hoc loco ineptissime posuisse videtur.*

Nondum venit? Noli procul appetitum extendere, sed donec ad te veniat exspecta. Ita fac de filiis; ita de uxore; ita de magistratu; ita de divitiis: eris aliquando deorum dignus conviva. Quod, si cum tibi apponentur, non modo non sumpseris verum etiam contempseris, tunc non solum conviva deorum eris, sed una cum diis principatum obtinebis. Hoc faciens Diogenes, hoc Heraclitus, hoc eos secuti, merito divini et erant et habebantur.

**16** Si quem in luctu constitutum videris, aut filii absentiam aut amissas divitias deplorantem, cave ne te opinio surripiat perinde ac si foret in malis exterioribus. Statim apud te ipsum distingue, et illud habe in promptu: " haud hunc affligit qui supervenit casus —alium namque non affligit—sed opinio quam de illo concepit; ea

---

*apparatum alterum* ‖ noli procul appetitum: noli appetitum *L* ‖ ita de uxore: de uxore *P* ‖ ita de magistratu *in margine A*[1] ‖ de divitiis: de uitiis *L* ‖ dignus conviva: conuiua *L* dignus conuiuia *W* dignus conuiuia>conuiuio *N* dignus conuiua>conuiuio *T* ‖ si cum: si *R* ‖ apponentur: apponetur *BN* ‖ non modo non sumpseris: non sumpseris *VL*—non sumpseris . . . tunc *in margine A*[2] ‖ conviva deorum: conuiua *P* conuiuia deorum *WN* ‖ eris sed: sed *N* ‖ Diogenes: Dyogenes *PT* ‖ Heraclitus: Eraclitus *omnes praeter N*

**16** opinio surripiat: surripiat oppinio *R* ‖ haud hunc: aut hunc *AMPT* ‖ namque: namque non affligit qui superuenit casus alium namque *A iterata verba seclusit m.2* ‖

---

sed una cum diis principatum obtinebis: ἀλλὰ καὶ συνάρχων.

Heraclitus: Ἡράκλειτος—Ἡράκλητος Pg Ἡρακλήτης Arg Pe.

eos secuti: οἱ ὅμοιοι. *Politianus: " his similes ". Nisi credamus Perottum quid valeret verbum* ὅμοιος, *quod alioquin recte capite 49 Latine reddidit, ignoravisse, eum hoc in loco* ἑπόμενοι *legisse existimare debemus.*

**16** filii absentiam: ἀποδημοῦντος τέκνου. *Post haec verba adiecêre Vptonus et Villebrunius* ἢ ἀποθανόντος, *quae Schweighaeuser ex Politiani versione translata existimavit, cum Politianus e Simplicio hausisset quae reddidit: " quia eius filius aut peregre absit, aut obierit."*

amissas divitias: ἀπολωλεκότα τὰ ἑαυτοῦ Arg Pc Pd Pe Pg—ἀπολωλεκότος *reliqui, unde Politianus deprompsit: " quia eius filius . . . bona dilapidarit." Veram lectionem iterum codex Perottinus servavit.*

statim apud te ipsum distingue, et illud habe in promptu: ἀλλ᾽ εὐθὺς ἔστω πρόχειρον—ἀλλ᾽ εὐθὺς διαίρει παρὰ σεαυτῷ καὶ λέγε · ἔστω πρόχειρον Arg Pa Pb Pi Pg; καὶ λέγε *om.* Pf. *Codex Perottinus modo* λέγε *omisit, quod verbum manifesto in aliis codicibus perperam scriptum erat; quae habuit, ea mihi adridere fateor.*

vero est quae affligit." Neque tamen id tibi prohibuerim, ne verbis commisereri te fortunae eius ostendas. Immo, si ita casus ferat, etiam illacrimes velim; at cavendum ne etiam intrinsecus gemas.

17 Memento histrionem esse te dramatis, quale magister velit: si breve, brevis, si longum, longi. Si pauperis personam te subire velit, enitendum ut eam quam aptissime subeas; eodem modo, si claudi, si principis, si privati. Id namque tuum est, eam quae tibi datur personam recte subire; eligere illam alterius est.

18 Si corvus aliquid mali praesagire cantu videtur, cave ne te surripiat opinio, sed statim distingue apud te ipsum et ita dissere: " Nihil est quod malum mihi praedicat, sed vel corpusculo vel praediolo vel gloriolae meae vel liberis meis vel uxori. Mihi omnia feliciter praedicuntur, si velim; nam quicquid mihi accidat, in manibus meis est ab iis utilitatem carpere."

**19,1** Invictus esse poteris, si nullum in certamen descenderis ubi vincere non sit in manibus tuis.

**19,2** Cave, si quem aliquando videris qui aut tibi praeferatur aut potens sit aut opinione hominum clarus, eum beatum dicas

---

fortunae: fortunis *T* || Immo: primo *L* || ne etiam: ne et *APT* || gemas: gemes>gemas *P*

17 HOMINEM HISTRIONI SIMILEM ESSE OPORTERE *FVW* NEMINEM *e.q.s.* *A* || quale magister: qualem magister *LMPT* || breve brevis: brevem brevis *MPT* || longum: longam *MPT* || subeas: sumas vel subeas *L* || recte subire: subire recte *L* || alterius est: alterius *R*

18. ita dissere: ita dicere *MPT* || nihil est: nihil *R* || praedicat: praedicet *L* || gloriolae: gloriae *WHR* || vel uxori: si vel uxori *MPT* || praedicuntur: praedicantur *N*[2] || ab iis: ab his *HPBN* || carpere: capere *WR*

19,1 Invictus: tum inuictus *MPT* || descenderis: descendens *V* descendes *L* || tuis *bis M*

---

ea vero est quae affligit: *Haec interpretationis causa Perottus adiecit. Similia apud Simplicium (125b) leguntur:* τὸ δόγμα τὸ περὶ τοῦ συμβεβηκότος, ὅτι κακόν · τοῦτό ἐστι τὸ θλῖβον αὐτόν.

neque . . . prohibuerim: μὴ ὄκνει.

17 si privati: ἂν ἰδιώτην. *Post haec* μόνον εὐφυῶς *habet* Pg; *insiticiis verbis codices Perotti et Politiani caruerunt.*

18 praesagire cantu videtur: κεκράγῃ—κράξῃ Ax Pa Pb Pi Pg, *unde Perottina versio et id Politiani, " Si corvus adversum crocitabit."*

quod malum: *Adiecit Perottus, haud dubie commentario fretus, ubi (129a) legit:* ἐὰν οὖν σὺ μὴ θέλῃς ἐν κακῷ εἶναι, τὰ σημαινόμενα ταῦτα κακὰ οὐκ ἂν εἴη σοὶ σημαινόμενα, ἀλλ' ἢ τῷ σωματίῳ σου, ἢ τῷ δοξαρίῳ, κ.τ.λ.

opinione arreptus. Nam si nulla in nobis perturbatio locum habet, profecto neque invidia neque aemulatio habebit locum, et tute non dux, non consul voles esse sed liber; una autem ad libertatem via est contemptus earum rerum quae non sunt in nobis.

**20** Memento non eum qui tibi iniuriam facit, qui te verberat, tibi contumeliam facere, sed opinionem quam de his rebus veluti contumeliosis iam animo concepisti. Si quis irritasse te videbitur, scito te tuam opinionem irritasse. Quapropter enitendum tibi im-

---

**19,2** Nam si nulla *om.* *P* ‖ in nobis: nobis *L* ‖ habebit locum: locum habebit *L* habet locum *N* ‖ tute: cure *A* curie *MPT* tuae>tute *W* ‖ NOTA *in margine FAVW* ‖ quae non: quem non *W*

**20** tibi contumeliam facere: facere contumeliam *L* ‖ quam de his: quam de iis *L* ‖ irritasse te: irritasse et *A* ‖ scito te: scito *L* cito te *A* ‖ tuam opinionem: opinionem

---

**19,2** nam si nulla in nobis perturbatio locum habet: *ἐὰν γὰρ ἐν τοῖς ἐφ' ἡμῖν ἡ οὐσία τοῦ ἀγαθοῦ ᾖ—τοῦ ἀπαθοῦς* Arg Pe Pi *τοῦ ἀπαθῆ* Pb *ἐὰν γὰρ ἐφ' ἡμῖν ἡ οὐσία τοῦ παθῆ ᾖ* Pa. *Veram scripturam sic vertit Politianus: "Nam si substantia boni in iis est, quae sunt in nobis." Magis consentanea cum iis, quae in* Pa *leguntur, est Perottina versio, sed interpres in codice suo μή legisse videtur.*

habebit: *ἔχει* Pb Pd Pg Pi—*ἕξει reliqui, et codex Perottinus.*

non dux, non consul: *οὐ στρατηγός, οὐ πρύτανις, ἢ ὕπατος. Secundam vocem et Politianus praetermisit: "non imperator aut consul."*

**20** qui . . . iniuriam facit . . . contumeliam facere: *ὁ λοιδορῶν . . . ὑβρίζει. Rectius vertit Politianus: "Memento, non qui conviciatur, aut verberat, iniuriam facere." Cum interpres noster, ut facile ex iis quae capitibus 4 et 30 scripsit perspicere licet, τὸν λοιδοροῦντα esse eum qui alicui convicietur intellegerit, de iis, quae ante oculos in vertendo habuerit, quaerendum fortasse putas, sed primum confer ista quae de iisdem verbis in Cornucopiae invenies: "Sunt alia duo nomina apud Graecos, λοιδορία et σκῶμμα, quibus nec vocabula Latina reperio, nisi forte dicas loedoriam exprobationem esse ad directam contumeliam." Et alibi: "Laedere proprie est contumelia afficere, sumptum a Graecis, qui λοιδορίαν contumeliam vocant; transfertur tum ad omne genus offensionis." Verbo Graeco Perottus forsitan tribuerit vim vocabuli Latini, quod falsa etymologica ratione resolvere conatus est. Eum verbum ὑβρίζειν fere idem valere credidisse apparet ex iis quae alibi in Cornucopiae scripsit: "ὕβρις enim apud Graecos contumelia dicitur."*

quis irritasse videbitur: *ἐρεθίσῃ σέ τις.*

primis est ne opinione arripiaris. Nam si semel gravem te in huiusmodi rebus constantemque servaveris, facilius in posterum te ipsum vinces.

21 Mortem vero exsilium ac cetera omnia quae mala videri solent, pone tibi singulis diebus ante oculos; sed imprimis mortem. Mihi crede, nihil umquam humile aut demissum cogitabis, nihil vehementer appetes.

22 Si philosophiam desideras, exhibeas te oportet deridendum multis, multis contemnendum, multis lacerandum. Multi erunt qui dicent, " Quam repente hic nobis philosophus apparuit! Vnde nobis tanta haec arrogantia? " Tu vero arrogantiam quidem evita; ea autem quae tibi meliora videntur ita complectere tamquam eo in loco a deo constitutus sis. Quod si in ea constantia perseveraveris, videbis fore ut qui antea contemptui te habebant, iidem non longe post te maxime admirentur. Si vero ab illis superari te permiseris, profecto in duplicem derisionem incideris.

---

tuam *L* ‖ imprimis est: in primis *R* ‖ arripiaris: arripias *H* corripiaris *A* ‖ in posterum te ipsum: te ipsum in posterum *T*

21 exsilium: exilium *omnes passim* ‖ ante oculos: ante oculos tuos *H* ‖ Mihi crede: *in margine* MORTIS PERPETVA COGITATIO *A*

22 philosophiam: philosophia *R* ‖ multis contemnendum *om. M*—multis: mutis *R* ‖ tanta haec: hec tanta *HTBN* ‖ a deo: ad eo *R om. L* ‖ te habebant: ut habebant *A* ‖ iidem: idem *WMPT* hidem *H* ‖ admirentur: admiraretur *W* ‖ superari te: te superari *R* ‖ derisionem: irisionem *R*

---

nam si semel gravem te in huiusmodi rebus constantemque servaveris: ἂν γὰρ ἅπαξ χρόνου καὶ διατριβῆς τύχῃς. *Vnde Perottus versionem suam hauserit miror.*

in posterum: *Adiecit interpres.*

21 cetera omnia: πάντα—πάντα τὰ ἄλλα Pa Pb Pi *et Simplicius (135c).*

mihi crede: *Adiecit Perottus.*

humile aut demissum: ταπεινόν.

vehementer appetes: ἄγαν ἐπιθυμήσεις.

22 exhibeas te oportet: παρασκευάζου αὐτόθεν. *Verbum Graecum male intellexisse Perottus videtur.*

multis contemnendum, multis lacerandum: καταμωκησομένων σου πολλῶν.

quod si: μέμνησό τε, διότι *Schweighaeuser e Nilo, invitis libris, qui omnes habent* μέμνησο δὲ ὅτι.

maxime admirentur: θαυμάσονται.

ab illis superari te permiseris: ἡττηθῇς αὐτῶν.

**23** Si quando acciderit ut ad exteriora te vertas, ut placere alicui studeas, scito amisisse te stabilitatem tuam. Omnibus itaque in rebus satis tibi sit esse philosophum; quod si videri quoque velis, satis est ut tibi ipsi videare.

**24,1** Numquam te affligant huiusmodi cogitationes: " ignobilis ero; nusquam aliquid ero." Nam si ignobilitas malum est—ut certe est malum—non potes in malo esse propter alium, non magis quam in turpi. An vero tuum opus est obtinere magistratum? aut ad convivium vocari? Nihil minus. Quomodo igitur id erit ignobilitas? Quomodo nusquam aliquid eris, quem in his solis esse oporteat quae in te sunt, in quibus licet tibi esse splendide atque honorifice? **24,2** " At opem ferre amicis non potero." Quomodo ferre opem non

---

**23** ad exteriora: exteriora *R* || alicui: aliqui *R* || amisisse: omisisse *W* || tibi sit esse: tibi esse *R* || satis est: satis *R*

**24,1** nusquam aliquid: numquam aliquid *W* || propter alium: propter aliud $T^2$ || tuum opus est: tuum est *L* || Quomodo igitur id erit ignobilitas *om. A*—quomodo: comodo *W* || oporteat: oportet *AMPT*

---

**23** videri . . . velis: δοκεῖν βούλει {τῳ εἶναι}. *Seclusit Schweighaeuser; confer quae adnotavit ad locum. Codices quibus Perottus et Politianus usi sunt his verbis caruerunt.*

satis est ut tibi ipsi videare: σαυτῷ φαίνου καὶ ἱκανὸς ἔσῃ—καὶ ἱκανόν ἐστι τοῦτό γέ σοι Pg καὶ ἱκανόν ἐστι *Nilus et Simplicius bis (142a et 142c). Hanc scripturam secuti sunt Perottus et Politianus, qui sic vertit: " Si autem videri etiam vis, tibi ipsi videare, et satis erit."*

**24,1** ut certe est malum: *Haec Perottus sumpsit ex verbis* ὥσπερ ἐστίν *quae habent* Ax Pb Pf Pg *et Nilus. Eadem verba interpolata in codice suo invenit Politianus, qui sensum sic expressit: " Si enim carere honore in malis est (ut certe est)."*

licet tibi esse splendide atque honorifice: ἔξεστί σοι εἶναι πλείστου ἀξίῳ.

**24,2** at opem ferre amicis non potero: ἀλλά σοι οἱ φίλοι ἀβοήθητοι ἔσονται. *Confer quae ad locum adnotavit Schweighaeuser: " Lubens acciperem, si per librorum fidem liceret,* ἀλλά μοι, *quod Vptonus cum Meib. haud dubie h. l. ponendum censuerat. Sed in vulgatum constantissime consentiunt libri ad unum omnes." Qua de causa vir doctus non contulerit hîc, ut alias, versionem Politiani, miror; ex ea enim aliquid auctoritatis ad verbum* μοι *ponendum adferre potuit, cum Politianus reddidisset: " sed amicis prodesse non potero." Adparet Perottum eadem quae Politianum hoc loco legisse.*

poteris? Non habebunt a te argentum; non cives eos Romanos facies. Quis te docuit haec ex his esse quae in nobis sunt ac non potius aliena? Quis autem dare aliis potest quae ipse non habet?

Sed "acquire" tibi dicent amici "ut et nos habeamus." **24,3** Ego vero, si ita possum acquirere, ut me ipsum fidum servem, pudicum, magnanimum, et ab his omnibus quae labem inferre philosopho solent mundum atque integrum, ostende mihi, amabo te, et acquiram. Quod si me propria bona relinquere dignum ducitis ut vos quae non satis bona sunt acquiratis, nonne iniusti atque ingrati estis? Quid, quaeso, mavultis? Argentumne an amicum fide pudicitiaque insignem? "Quidni amicum malumus fidum et pudicum?" Ad hoc igitur potius me hortemini, ad hoc mihi opem feratis. Nolite mihi suadere ut ea agam quorum gratia haec ipsa amitti possint.

---

**24,2** habebunt: habebant *T* || argentum: argumentum *H* || haec ex his: hec in iis *L* || dare aliis: dare aliis unquam *L* || quae ipse: quod ipse *MP* || habet: habent *R* || acquire: acquirere *L* || habeamus: habemus *A*

**24,3** NOTA *R* || possum: possim *FAVLWH* || servem: seuerum *W* serue *R* || his omnibus: aliis omnibus *L* || et acquiram: atque acquiram *L* || iniusti atque ingrati: iniustis atque ingratis *R* || Quidni: quid in *A* || malumus: malimus *MPT* || amitti possint: amitti possunt *ALPM et F, ubi autem virgula suboblique ducta eo consilio addita esse videtur ut* u *in* i *mutaretur.*

---

quomodo ferre opem non poteris?: τί λέγεις τὸ ἀβοήθητοι;

argentum: κερμάτιον Pa *et Nil.*—ἀργύριον *reliqui.*

dicent amici: φησίν—φασὶν οἱ φίλοι Pa, *Simplicio adsentiente. Iterum interpres verba quae solus habet* Pa *vertit.*

**24,3** et ab his omnibus, quae labem inferre philosopho solent, mundum atque integrum: *Haec adiecit Perottus, qui, nisi similia in aliquo Enchiridii codice nobis ignoto leguntur, ea sumpsisse videtur ex commentario, ubi (149a) Simplicius ad praecedentia verba explicanda paraphrasim hanc dat:* καὶ κατ' ἐμαυτὸν πάντων κεκαθαρμένον τῶν αἰσχύνην τῷ φιλοσόφῳ φερόντων.

ostende mihi, amabo te: δείκνυε τὴν ὁδόν—δεικνύετε Pd Pf. *Politianus: "ostende viam". Cur 'viam' non scripserit Perottus, dubium.*

nonne iniusti . . . estis?: ὁρᾶτε ὑμεῖς, πῶς ἄνισοί ἐστε—ἄδικοι Pa *et Nil., quibuscum Perottina versio manifeste congruit. Cur interpres noster* ὁρᾶτε *Latine non expresserit, quemadmodum Politianus ("vos ipsi videte, quam iniqui sitis"), miror.*

Quidni amicum malumus fidum et pudicum?: *Haec Perottus de suo adie-*

**24,4** " At patria, quantum ad me " inquis " attinet, sine ope, sine subsidio erit." Dic, quaeso rursus, qualem opem, quale subsidium intelligis. Non porticus abs te habebit, non balneas? Quid ergo? Neque ocreas habebit a fabro ferrario, neque a sutore arma. Satis est si suo quisque officio fungatur. Quod si te fidelem ac pudicum patriae civem praestas, nihil illi prosis? " Certe prosum." Non igitur inutilis es. " At quem " inquis " in civitate locum tenebo? " Quem poteris, dum fidem pudicitiamque custodias. **24,5** Quod si, dum prodesse patriae cupis, haec perdas, quomodo illi proderis, factus iam infidus et impudicus?

---

**24,4** inquis: inquit(?)>inquis *F* || qualem opem quale: qualem qualem opem qualem *R* || non balneas: non balnea *L* non balneos *N*[2] || fabro: fabre *P* || ferrario: ferrareo *T* || At quem: atque *R* || tenebo: tempo *R*

**24,5** quomodo: quo *R*

---

*cisse videtur; in commentario multa de stultitia eorum, qui pecuniam fideli amico ac verecundo anteponant, Simplicius disserit, sed nulla verba his respondentia profert. Notandum enim est haec verba, sive versionis explendae causa ab interprete scripta, sive aliquo e codice deprompta, tam bene cum praecedentibus sequentibusque congruere, ut nemo ea, si in Graeco invenirentur, tollenda existimaret.*

hortemini . . . opem feratis: συλλαμβάνετε.

**24,4** inquis: φησίν.

sine ope, sine subsidio: ἀβοήθητος.

ocreas: ὑποδήματα *omnes habent, quod melius* ' calceos ' *interpres reddidisset.*

si te . . . patriae civem: εἰ δὲ ἄλλον τινὰ αὐτῇ . . . πολίτην. *Vnde Perottus quae scripsit sumpserit valde miror; quis enim, vel aliquantulum Graecarum litterarum peritus, de vi verborum, quae habent codices omnes Schweighaeusero noti et Simplicius, ambigere possit? Confer Politiani versionem: " Quod si ei* [*patriae*] *quempiam alium compares civem fidum et verecundum, nihilne ei prodes? " Num fieri potuit ut Perottus quae Latine expressit in suo codice invenisset?*

praestas: κατεσκεύαζες—κατασκευάζεις Pa, *unde ortae Perotti et Politiani versiones.*

non igitur inutilis es: οὐκοῦν οὐδὲ σὺ αὐτὸς ἀνωφελὴς ἂν εἴης αὐτῇ.

inquis: φησί.

**25,1** Si quis tibi, vel in convivio vel in salutationibus vel in laudatione vel in aliis huiuscemodi rebus, praeferatur, siquidem illa bona sint, laetari debes talia illum sibi comparasse; si mala, non dolere quod tu eadem quoque non fueris nactus. Memento haec abs te obtineri non posse, nisi postea quam, sicuti ceteri, ita tu etiam feceris quo illis dignus iudicere. **25,2** Nam quo pacto, nisi fores potentum frequentes, eadem quae qui frequentat consequi possis?

---

**25,1** in convivio vel *om.* *VL*—convivio: coniuo *R* || aliis huiuscemodi rebus: huiuscemodi aliis rebus *L* aliis huiusmodi rebus *AMPTWRHNB* || illa bona sint: illa sint *W* || illum: illam *M* || eadem quoque: eadem quaeque *H* eadem quaque *T* || nactus: natus *R* || non posse *om.* *L* || postea quam sicuti: post ea quae secuti *AMPT* [1] post ea que secuti sunt $T^2$ postea sicuti *L* postquam sicuti *R* || tu etiam: tu et *ALPT* tue et *M* || quo: quod *R*

**25,2** frequentes: frequentum $T^1$ frequenter $T^2$ || eadem quae: eademque *AMPT* || frequentat: frequentant *N* frequentas *R* || consequi possis *om.* *N*—possis: possit *MPT* ||

---

**25,1** si quis tibi . . . praeferatur: προετιμήθη σού τις—ἐὰν προτιμηθῇ Ax Pa Pg, *unde orta Perottina versio.*

in laudatione: ἐν τῷ παραληφθῆναι εἰς συμβουλίαν, *omnes, levi varietate. A sensu Perottus nescio qua de causa prorsus discessit.*

vel in aliis huiuscemodi rebus: *Nullo in codice similia inveniuntur.*

comparasse: ἔτυχεν.

fueris nactus: ἔτυχες.

nisi postea quam, sicuti ceteri, ita tu etiam feceris, quo illis dignus iudicare: μή ταὐτὰ ποιῶν πρὸς τὸ τυγχάνειν τῶν οὐκ ἐφ' ἡμῖν, τῶν ἴσων ἀξιοῦσθαι—μόνον ταῦτα ποιῶν "*Mss. Harris. & Salmas.*" *quibuscum consensit codex quo Politianus usus est. Verba* πρὸς τὸ τυγχάνειν *et quae sequuntur usque ad* μὴ φοιτῶν (*v. infra*) *omisit* Pa; *minorem lacunam habuit codex Perottinus, e quo verba* τῶν οὐκ ἐφ' ἡμῖν *sane exciderant. Post* τῶν ἴσων, *vel* ἐκείνῳ, *quod e quodam codice suo Villebrunius in contextum recepit, vel* τοῖς ποιοῦσιν, *quae habet Paraphrasis Christiana, Perottus et Politianus legerunt. Hic enim reddidit:* "*Memento autem, non posse te, haec solummodo facientem, paria cum ceteris consequi in his quae in nobis non sunt.*"

**25,2** quo pacto, nisi . . . frequentes, eadem . . . consequi possis?: πῶς γὰρ ἴσον ἔχειν δύναται ὁ μὴ φοιτῶν. *Vtrum verbum in secundam personam mutaverit interpres ut interrogationum seriem aliquam contexeret, an* δύνασαι *in codice legerit, pro certo non habeo.*

potentum: τινός.

nisi comiteris, eadem quae obtinet qui comitatur? nisi laudes, eadem quae qui laudat? Iniustus profecto et insatiabilis sis, si non tanti rem emas quanti venditur, sed gratis eam accipere velis. **25,3** Quanti lactucae venduntur? Obolo, si ita contigerit. Si quis igitur ex soluto prius obolo lactucas capiat, tu vero nec des obolum nec capias, noli ob id putare habere te minus eo qui accepit. Nam, sicuti ille lactucas habet, ita tu habes obolum quem non dedisti. **25,4** Idem dico, quantum ad propositum attinet. Non es in convivium vocatus? Non tantum dedisti quanti ille cenam vendit; vendit quippe laude et adulatione. Da quantum satis est, quantique res illa venditur, si tibi expedit. Quod si et dare aliquid nolis et gratis capere, profecto demens sis atque insatiabilis. **25,5** At nihil habes amplius quam qui vocatus ad cenam fuit? Certe amplius. Non es adulatus cui minime volebas; non contumelias perpessus quae frequenter ingrediendo fieri solent.

---

eadem quae obtinet: eademque obtinet *AMPT* eadem quae obtinent *L* || comitatur: comitetur *L* comitantur *R* || nisi laudes: laudes *P* vt si laudes *T* || eadem quae qui laudat: eadem qui laudat *L* idem que qui laudant *R* || accipere: occipere *R*

**25,3** contigerit: contingeret *W* contingerit *R* || ex soluto: exoluto *L* et soluto *R* || obolum: obulam *A* obulum *T* || noli: nobis *R* || minus eo: manus>minus ea>eo *A* manus eo $PT^1$ maius eo $MT^2$ || accepit: accipit *PTR* accipiat *M* || ita tu: ita et tu *L*

**25,4** dico: dicito *P* || propositum: prepositum *W* prepogitum *R* || non es: non>nos esse *A* nos esse *MPT* || vocatus: uocatos $T^2$ || ille cenam: illi cenam *AL* || vendit vendit: uendidit uendidit *R* || quod si et: quod et si *HBN* || sis atque: sis et *M* scis atque *N* || insatiabilis. At nihil: insatiabilis oportet aliqua in aliud tempus *e.q.s.* [1,4] . . . quod adhuc adsit tibi [2,2] at nihil *L, iterata verba post* omni tuae imaginationi [1,5] *seclusit m.1.*

**25,5** habes amplius: habes *R* || contumelias: contumelia *P* || frequenter: frequent $T^1$ *cor.* $T^2$ || ingrediendo: ingerenti *MPT*

---

**25,4** convivium: ἑστίασίν τινος.

ille . . . vendit: πωλεῖ Pa Pg—πωλεῖται *ceteri, quos secutus est Politianus, qui reddidit: " quanti convivium emitur."*

vendit quippe laude et adulatione: ἐπαίνου δ' αὐτὸ πωλεῖ, θεραπείας πωλεῖ, *quae sic ad verbum convertit Politianus: " Laude id vendit; ministerio vendit." Pro* θεραπείας πωλεῖ *unum tantum verbum* κολακείας *scribitur in* Pa; *cum eo codice versio Perottina iterum congruit.*

quantum satis est: τὸ διάφορον Pa Pg—τὸ διαφέρον *cett.*

**25,5** habes amplius quam qui vocatus ad cenam fuit: ἔχεις ἀντὶ τοῦ δείπνου—πλέον τοῦ δείπνου Pa. *Perottus* πλέον τοῦ δειπνοῦντος *legisse videtur.*

non contumelias perpessus, quae frequenter ingrediendo fieri solent: τὸ

**26** Naturae voluntatem ex his discere licet quibus invicem non differimus, utputa, si vicini tui filius poculum fregerit, continuo in promptu est affirmare hoc eorum esse quae fieri solent. Si quando igitur casus feret ut tuum quoque frangatur, scito talem te esse oportere qualis tum fuisti, cum vicini poculum fractum fuit. Ita transfer te etiam ad maiora. Alicuius filius uxorve diem suum obiit? Nemo est qui non dicat humanum id esse. At suus alicuius filius extremum vitae diem morte confecit? Mox "O me miserum! O afflictum! O acerbam vitam meam!" Revocandum profecto, revocandum esset in memoriam quomodo tunc afficimur, cum haec de aliis audimus.

---

**26** Naturae: Maturae *B* mature $N^1$ *cor.* $N^2$ || invicem: in inuicem *R* || differimus: deferimus *AM* || talem te: talem *P* || oportere *om. L* || qualis tum: qualis tu *BN* qualis tuum *W* qualem tunc *L* || poculum fractum: fractum poculum *L* || At suus: at si uis *L* at si $T^2$ || O afflictum *om. P* || revocandum profecto *om. VL*

---

μὴ ἀνασχέσθαι αὐτοῦ τῶν ἐπὶ τῆς εἰσόδου. *Haec procul dubio expressit Politianus: "non ea perfers, quae ad eius limen perferuntur." Rectius, ut monet Schweighaeuser, reddidisset: "non toleraveris eorum insolentiam, qui vestibulo eius praesunt." Post* εἰσόδου *in* Pa παροινιῶν *scribitur, quod fortasse Perottus ante oculos habuit.*

**26** vicini tui filius: ἄλλου παιδάριον *e Nilo scripsit Schweighaeuser, qui multa ad locum adnotavit, q. v. Haec verba Politianus legisse videtur, qui vertit: "quum alienus puer fregerit poculum." Codices plerique habent* τοῦ γείτονος ἄλλο παιδάριον. *Heinsius, sive aliquo codice sive ingenio suo fretus, hoc in loco* τοῦ γείτονος παιδάριον *legendum statuit, atque eadem verba Perottus legisse videtur, sed a suo codice plane afuerunt verba* ἢ ἄλλο τι *quae post* ποτήριον *(i.e. "si . . . poculum vel quid aliud fregerit") Heinsius posuit.*

casus feret ut . . . frangatur: κατεάξῃ—καταλήξῃ Pa.

transfer te: μετατίθει.

alicuius filius: τέκνον ἄλλου—ἄλλου τινὸς Pa, *qui magis cum Perottina versione consentit.*

extremum vitae diem morte confecit: ἀποθάνῃ.

O acerbam vitam meam!: *Adiecit Perottus.*

Revocandum profecto, revocandum esset in memoriam: ἐχρῆν δὲ μεμνῆσθαι. *Lectorem haud fugerit, quam saepe nuda et quasi incompta verba Epicteti, qui ab omni verborum amplitudine ac quaesita elegantia abhor-*

28 Si quis corpus tuum alterius potestati subiciat, quicumque ille sit, profecto aegre feras. Tu vero tuum ipsius animum uniuscuiusque potestati subicere non erubescis, neque te pudet pati ut ad singulorum contumeliam perturbetur et confundatur?

29,1 In omni opere quaeque antecedunt considera, quaeque consequuntur; ita demum instructus ad id accede. Quod nisi feceris, continget ut principio quidem prompte expediteque progrediaris, nihil eorum considerans quae sequuntur; postea vero, cum turpe aliquid tibi occurrerit, desistas ab opere prorsusque secedas.

---

27 *deest.*

28 alterius potestati: alterius potestate *MPT* || subiciat: subsciat *R* || uniuscuiusque potestati: uniuscuiusque *RW*[1] potestati *in margine supplevit W*[2] || erubescis: erubescas *L* || ut ad: ut a *R*

29,1 consequuntur: consequantur *P* consecuntur *R* consecuntur>consequuntur *W* sequuntur *ML* || ita demum: ita donum *W* || nihil eorum: nihil orum *R* nihil horum *L* || sequuntur: secuntur *R* || postea: post *R* || aliquid tibi: tibi aliquid *P* || occurrerit: occurrit *T* || secedas: desistas *R*

---

*rens audientes ut vulgaris homo vulgares humili et fere plebeio sermone adloqui studebat, adeo Perotto displicuerint, ut interdum ea quodam rhetoricae artis adiumento exornare amplificareque conaretur.*

27 *Verba a Perotto praetermissa, quae habent omnes codices, sic vertit Politianus: " Quemadmodum non ideo sagittarii signum figitur, ut non attingatur, sic neque mali natura in mundo fit."*

28 alterius potestati subiciat: ἐπέτρεπε τῷ ἀπαντήσαντι—ὑπαντήσαντι Ax Pb Pd Pg Pi, *unde id Politiani: " imperium habenti traderet."*
animum: τὴν γνώμην.
non erubescis, neque te pudet pati: οὐκ αἰσχύνῃ.
ut ad singulorum contumeliam: ἐὰν λοιδορήσηταί σοι.

29,1 ita demum instructus: οὕτως.
principio quidem prompte expediteque: τὴν μὲν πρώτην προθύμως—οὔτι μὲν πρὸς τοῦτο προθύμως Pf. *unde Politianus sumpsit: " numquam ipsam prompte aggredieris."*
turpe aliquid tibi occurrerit, desistas: ἀναφανέντων δυσχερῶν τινων αἰσχρῶς ἀποστήσῃ *in contextum recepit Schweighaeuser, qui " luculentissimam Wolfii coniecturam " laudavit. Codices plerique habent* ἀναφανέντων τινῶν αἰσχρῶν ἀποστήσῃ, *unde manifeste fluxit versio Perottina.* ἀποστήσῃ *in* αἰσχυνθήσῃ *perperam mutatum habet* Pf, *quod in codice suo legit Politianus, qui vertit: " cum quaedam apparebunt turpia, pudore afficieris."*
prorsusque secedas: *Adiecit Perottus.*

**29,2** Vis in Olympiacis vincere? Ego quoque, per Iovem, velim: splendidum namque id est atque honorificum. Sed primo quae praecedunt quaeque sequuntur considera; deinde opus aggredere. Necesse est servare modum: nutriri leviter, abstinere a cibariis delicatis, exerceri hora ad id constituta, in aestu, in frigore, non frigidum bibere, non vinum. In summa, tamquam medico, ita magistro certaminis subicias te oportet; deinde certamen subeas; manum interdum confringas, pedem torqueas, immensum ebibas pulverem, interim verbereris; et secundum haec omnia, nonnumquam superere. **29,3** His diligenter consideratis, si tibi adhuc certandi animus inerit, in certamen descendes. Nam si ex temporario motu ad haec te contuleris, eveniet tibi quod pueris saepenumero contingit; etenim quemadmodum illi modo palaestra exercentur, modo luctantur, non-

---

**29,2** honorificum: orificum *R* || praecedunt: procedunt *LM* succedunt *P* || sequuntur: secuntur *WR* || hora: hora hora *BN* || frigidum: frigida>frigidum *N* || oportet: oporteat *L* || confringas: confrigas *M* || torqueas: torquas *P* || immensum: inmensam *R* || interim verbereris: interim uerberes>uerbereris *FV* interim uerberis *BN* interdum uerbereris *L* || superere: superare>superere *A* superare *MPT*

**29,3** temporario motu: temporario uictu *AMPT* || quemadmodum: admodum *R* ||

---

**29,2** per Iovem: νὴ τοὺς θεούς—νὴ τὸν Θεόν Ed. Ven. *Eadem interpres ante oculos habuit.*

splendidum . . . atque honorificum: κομψόν.

servare modum: σ' εὐτακτεῖν.

nutriri leviter: ἀναγκοτροφεῖν.

exerceri: γυμνάζεσθαι πρὸς ἀνάγκην. *Qua de causa Perottus* ‘ ex necessitate ’ *aut* ‘ ad id coactus ’ *non scripserit, dicere nequierim.*

non vinum: μὴ οἶνον, ὡς ἔτυχεν. *Duo verba fortasse ex codice Perottino exciderant.*

certamen subeas: ἐν τῷ ἀγῶνι παρορύσσεσθαι *scripsit Vptonius.*—παρέχεσθαι Arg Pb παρέρχεσθαι *ceteri.*

confringas: ἐκβαλεῖν *scripsit Vptonius.*—βαλεῖν Pa Pg Dresd λαβεῖν Arg Pb Pe βλαβεῖν Pf, *unde lectio versionum Perotti et Politiani* (“ *manum vulnerari* ”) *manavit.*

nonnumquam: *Adiecit Perottus interpretationis causa—nisi vero existimas eum* ἐσθ' ὅτε νικηθῆναι *legisse.*

**29,3** si tibi adhuc certandi animus inerit: ἂν ἔτι θέλῃς.

nam si ex temporario motu ad haec te contuleris: εἰ δὲ μή.

eveniet tibi quod pueris saepenumero contingit: ὡς τὰ παιδία ἀναστραφήσῃ.

numquam tubam sonant, aliquando cantant, ita tu quoque interim athleta eris, interim luctator, nonnumquam rhetor, aliquando philosophus, toto vero animo nihil, sed tamquam simia quicquid videris imitabere; modo hoc, modo illud tibi placebit. Non enim cum consideratione et cogitatione aliqua, sed levi quadam cupiditate ductus ad rem venisti. **29,4** Eodem modo, si philosophum viderint, si quem de ipso praedicantem quod gravis sit, quod elegans, quod ut

---

tubam: tubant *M* ‖ aliquando cantant: aliquam cantant *W* ‖ athleta eris interim *om. BN*—athleta: atleta *AL* adhleta *M*—interim *om. L* ‖ rhetor: rethor *AMPT* retor $W^1$ rhaetor *N* rhector *R* ‖ simia: symea *MPT* ‖ levi: seui *R*

**29,4** elegans: eligas *H*

---

*Verba* ὡς τὰ παιδία *Perottus in capite 29,7, melius reddidit: " puerorum instar."*

palaestra exercentur: παλαιστὰς παίζει.

luctantur: μονομάχους (*sc.* παίζει). *Melius reddidit Politianus: " gladiatores."*

cantant: τραγῳδεῖ. *Politianus: " tragoedum agunt."*

cum . . . cogitatione aliqua: περιοδεύσας Pa Pf Dresd (*et codex Perottinus*) —περιώδευσας *reliqui perperam. Vtrum interpres quae vis hoc in verbo inesset non bene intellexerit, an plura vocabula (v. g. " ut qui totum perlustrarit " vel " re diligentissime exploratā ") Latine scribere noluerit, dubium.*

sed levi quadam cupiditate ductus: ἀλλ' εἰκῇ, καὶ κατὰ ψυχρὰν ἐπιθυμίαν—ψυχὴν Pa. *Haud scio an* ψιλὴν *interpres legerit.*

ad rem venisti: ἦλθες ἐπί τι—ἐπὶ τοὔργον Dres Pf Pg (*in margine*), *unde orta videtur Perottina versio; eandem scripturam secutus est Politianus: " rem agressus es."*

29,4 si quem de ipso praedicantem: ἀκούσαντες οὕτω τινὸς λέγοντος. *Confer quae infra adnotavimus.*

quod gravis sit, quod elegans, quod ut Socrates loquatur: ὡς Εὐφράτης λέγει *Wolfius*—ὡς εὖ Σωκράτης λέγει *omnes praeter* Pa, *qui* ὡς εὖ οὗτος καὶ ὡς Σωκράτης λέγει *habet, verba quae procul dubio Perottus in suo codice invenit. Verba Epicteti quid valeant non satis compertum habeo. Vptonus, quem in vertendo secuti sunt viri docti Schweighaeuser et Gulielmus Oldfather, sic reddidit: " sic quidam, cum . . . aliquem ita disserentem audiverunt ut Euphrates disserit . . . volunt et ipsi philosophari." Sed videndum est ne Epictetus hoc in loco depingere voluerit eos, qui temere ad philosophiam accedant cum vehementius verbis audi-*

Socrates loquatur (quamquam quis est qui ut Socrates loqui possit?), volunt ipsi quoque philosophari. **29,5** Homo, considera primo

---

*torum, qui philosophum laudant, quam ipsius philosophi verbis ac sententiis commoveantur. Ea ratione Epicteti sententiam Perottus et Politianus interpretati sunt, nec video quid causae sit quin et nos reddamus:* "sic nonnulli, cum philosophum viderunt et ex aliquo auditore acceperunt eum haud secus ac Euphraten illum disserere, volunt et ipsi philosophari (*ut pari laude ab auditoribus afficiantur*)." *Sed confer quae Schweighaeuser de huius loci interpretatione ad Epicteti Dissertationum lib. III, cap. 15 (Tom. II, pp. 693 sqq.) adnotavit.*

**29,5-7** *Quamquam nihil nobis de iis, quae ad Politiani tantum versionem attineant, agendum statuimus, hoc tamen in loco singularem duarum versionum inter se similitudinem notandam putamus; nam verba* 'Homo, considera primo' *et quae sequuntur usque ad huius capitis finem, ubi* 'vel philosophi locum teneas vel idiotae' *leguntur, ut ea scripsit Perottus, sic eadem apud Politianum, ne una quidem litera mutata, invenimus. (Cf. quae infra ad verbum* 'pantathlus' *adnotavimus.) Sunt sane qui hoc casu fieri posse dicant, sed mihi nullo modo persuaderi potest tanta verba, singulari quodam ordine posita, a posteriore interprete, proprio motu, nulla prioris versionis ratione habita, excogitata esse; sunt enim loci nonnulli, quos singillatim infra memorabimus, ubi Perottus suo more aliquid de suo ad nuda Epicteti verba expolienda in contextu recepit, velut verba* 'natura parens largita est' *proponendo pro simplici* πέφυκε, *et similia. Vt diximus in praefatione Anglice scripta, nemo est quin dicat Politianum non modo Perottinam versionem non expilasse, sed etiam codices suos, multis in locis (ut ipse fatetur et ex versione sua lucide apparet) depravatos, tam fideliter secutum esse, ut saepius deteriorem scripturam ab Epicteti sententia plane abhorrentem Latine redderet, quo magis mirari debemus eum a Perotto petiisse, vel potius surripuisse, haec verba, quae omnia quidem in nullo codice exprimuntur. Si nobis hypothesin fingere liceat, rationes cur Politianus hoc fecisse videatur afferendas putemus ex his quae breviter exponemus: (1) Quarta huius capitis sectione, ubi de philosopho, qui haud secus ac Socrates disseruit, agitur, apud Politianum haec verba, Epicteteae sententiae manifeste repugnantia, invenimus: "'Bene Socrates dicit, et qui potest dicere ut ille?'" Haec interpretatio fluxisse videtur e codice alioquin ignoto, quem adhibuit doctus qui primam Epicteti editionem Venetiis typis descriptam curavit, quae editio hoc in*

quaenam aut qualis sit ea res quam aggredieris, deinde naturam tuam consule, utrum id tolerare possis. Vis esse luctator aut pan-

---

29,5 quaenam: que natura *R* ‖ aut qualis: et qualis *MPT* ‖ ea res: ipsa>ea res *M* ista res *T* ‖ aggredieris: aggrederis *H* ‖ pantathlus *omnes*; *Perottum vocabulum perperam*

---

*loco, teste Schweighaeusero, habet* καὶ τίς δύναται εἰπεῖν; *(2) Quinta sectio et totum reliquum caput in ea editione Veneta desunt. Politianus igitur, si codex quo usus est hoc in loco prorsus cum ea editione congruebat, nihil e Graeco transferendum habuit, nec lacunam ex Simpliciano commentario supplere potuit, quippe cum ille Peripateticus aliqua de causa nihil de huius capitis rebus disputandum statuat. (3) Si Politianus ex Perottina versione ea tantum sumpsit, quae nullo in codice Graeco invenire potuit, ei veniam fortasse dare debemus, sed equidem miror cur furtum aliqua verborum mutatione celare neglexerit—num fieri potuit ut Politianus non animadverteret duo verba parum Latina a Perotto usurpata* (' pentathlus ' *scilicet et* ' idiota,' *pro quibus facile scribi potuerunt* ' quinquertio ' *et* ' plebeius homo ') *cum suo ipsius scribendi more haud concinere? (4) Quantum scio, Politiani versionem ex codice autographo vel saltem apographo describere nemo adhuc curavit, nisi Philippus Beroaldus, qui eam publici iuris anno 1497 fecit in secunda editione Censorini libri* De die natali, *ex qua omnes quae postea prodierunt editiones repetitae videntur. Qua de causa, cum in hac temporum asperitate nulla sit nobis codicum manuscriptorum inspiciendorum copia, quid Politiani versioni addiderit aut ademerit Beroaldus, aestimare nequimus. Politianus vero in epistula nuncupatoria ad Laurentium Mediceum scripta lectorem monuit se aliquos Enchiridii locos, qui e codicibus suis plane excidissent, ex Simpliciano commentario supplevisse, eisque locis obelum adposuisse; at cum in huius versionis textu apud Beroaldum neque obeli inveniantur nec verba in* praecedentibus *capitibus quae sine dubio ex Simplicio deprompta agnoscimus, sane fieri potuit ut ipse Beroaldus, Perottina versione adhibita, Politiani versionem hoc in loco vel suppleret vel saltem corrigeret.*

**29,5** ea res quam aggredieris: τὸ πρᾶγμα.

pantathlus: πένταθλος. *Notandum est Perottum, falsa etymologica ratione fretum, hoc verbum perperam scripsisse. Eandem scripturam in Politiani versione primitus exstitisse puto, quamquam nullum illius primae editionis a Beroaldo curatae exemplar mihi praesto est; in luculentissimo volumine, quo opera Politiani omnia ab Alexandro Sartio collecta con-*

tathlus? Aspice brachia tua; aspice lumbos; aspice femora. Aliud enim aliis aptum rebus natura parens largita est. **29,6** An te censes huiusmodi rebus studentem eodem modo vesci posse, eodem modo potum sumere, eodem modo irasci, eodem modo maerere? Vigilare oportet, laborare, secedere a propriis bonis, a pueris contemni, derideri ab omnibus, universis in rebus minus auctoritatis habere, in honore, in magistratu, in iudicio, in ceteris omnibus. **29,7** Haec, inquam, omnia considera, et utrum pro his indolentiam, liber-

---

*scripsisse arbitror; vide apparatum alterum.* || aliis: ab ijs *N—in margine* NOTA *R*
**29,6** an te censes: ante censes *LWR* || vesci: uesti *M* ulcisci *VL* uesciuesci *R* || potum sumere eodem modo irasci eodem modo *om. A* || maerere: moerére *F* moerere *VWBN* merere *AMPLHR* mereri *T* || omnibus: hominibus *R*

---

*tinentur, quod Venetiis anno 1498 prodiit, hoc verbum, in pagina* S.iiii[c] *(quin illius libri paginis numeri non adscribuntur), perperam scriptum sic legimus:* "panthalus." *Eius verbi vim Perottus rectius in Cornucopiae dignoscit: " quinquertium, quod Graeci* πένταθλον *appellant, quod iis quinque artibus constabat, iactu disci . . . cursu . . . saltu . . . luctatione et pugno."*

aliud: ἄλλος *scripsit Vptonus e Dissertationibus—*ἄλλο *omnes.*

natura parens largita est: πέφυκε.

**29,6** huiusmodi rebus studentem: ταῦτα ποιῶν.

irasci: ὀρέγεσθαι Pa—ὀργίζεσθαι Vha, Vpacd, *Nil. et codex Perottinus; om. ceteri omnes. Illud Gulielmus Oldfather Schweighaeuserum secutus in textum recepit, hoc autem Anglico sermone est interpretatus; quid maluerit, dubium.*

maerere: δυσαρεστεῖν, *i.e. ' indigne ferre aliquid.'*

a propriis bonis: ἀπὸ τῶν οἰκείων. *Apparet Perottum verbum Graecum, quod ' a familiaribus ' significat, neutro genere accepisse.*

a pueris: ὑπὸ παιδαρίου, *i.e. ' a servulo tuo.'*

derideri ab omnibus: ὑπὸ τῶν ἀπαντώντων καταγελασθῆναι *scripsit Schweighaeuser—*ἀπάντων *(vel* ἀπάντων*)* Pa Vha Vpabcd *et Nil., quibuscum congruit codex Perottinus. Reliqui codices ad unum haec verba ignorant.*

minus auctoritatis habere: ἧττον ἔχειν.

**29,7** inquam: *Adiecit interpres.*

utrum . . . malis: εἰ θέλεις ἀντικαταλλάξασθαι.

indolentiam . . . quietem: ἀπάθειαν . . . ἀταραξίαν. *Cf. 12,2.*

tatem, quietem malis animadverte. Quod ni malis, cave ea aggrediaris, ne instar puerorum modo philosophus, modo publicanus, paulopost rhetor, postremo Caesaris procurator fias. Haec invicem nequaquam conveniunt. Illud oportet, hominem esse te vel bonum vel malum; aut ad interiora te vertas necesse est aut ad exteriora—vel philosophi locum teneas vel idiotae.

30 Officia saepenumero respectibus metiuntur. Pater est? Oportet eius curam habeas, ei c{r}edas in omnibus; cum tibi conviciatur, cum te verberat, patienter feras. " At malus pater est." Quid ergo? An te natura bono patri coniunxit ac non simpliciter patri? Germanus tuus tibi iniuriam facit? Fac tuum ordinem erga illum diligenter serves, nec quid aga<t>{s}, sed qualis tibi secundum naturam agenti electio futura sit consideres. Nemo te laedet, nisi volueris. Tunc eris laesus cum te laesum putabis. Sic in vicinum, in civem, in ducem, quae sint officia reperies, si te considerandis respectibus insuefeceris.

---

29,7 considera *bis P* || animadverte: animaduertere>animaduerte *M* animaduertere *P* || Quod ni malis: quod in malis *APT* || rhetor: *om. R* rethor *AMPT* rhaetor *N* || fias: fiam *A* || invicem: in inuicem *R* || conveniunt: conuenium *W* || vel bonum: uel bonum uel bonum *A* || ad exteriora: exteriora *AMPT*

30 curam: curato *R* || credas *omnes, quod verbum Perottus sane non posuit pro Graeco* παραχωρεῖν. || ac non: an non *LH* || tibi iniuriam: iniuriam tibi *T* || facit: fecit *R* || serves nec: seruas ne *N* || agat: agas *omnes. Quis autem est qui credat interpretem ita scripsisse verbum ut et rationi et verbis Graecis (quae in ima pagina exscripsi) manifesto repugnaret?* || agenti: argenti *A* || futura sit: futura sic *M* || volueris: nolueris *H*

---

ni malis, cave: εἰ δὲ μή, μή. *Codicibus plerisque varie depravatis, veram scripturam soli servant* Pa Vpc *et codex Perottinus.*

bonum vel malum: *Post haec omnes habent* ἢ τὸ ἡγεμονικόν σε δεῖ ἐξεργάζεσθαι τὸ σαυτοῦ ἢ τὰ ἐκτός.

30 respectibus: ταῖς σχέσεσι.

oportet: ὑπαγορεύεται, *i.e. id nomen per se praecipit curam patris esse agendam, etc.*

cedas in omnibus: παραχωρεῖν ἁπάντων. *Haec verba Politianus quoque recte vertit: " cedendum ei in omnibus."*

Quid ergo?: *Adiecit interpres.*

simpliciter: *Adiecit interpretationis causa Perottus, qui verba Graeca eodem modo ac Naogeorgius intellexit; cf. Schweig. ad loc.*

quid agat: τί ἐκεῖνος ποιεῖ.

**31,1** Pietatis erga deos scito illud maxime proprium esse, recte de illis opinari quod sint, quod omnia recte iusteque gubernent, te vero ad id ordinatum esse ut illis pareas, ut omnibus quaecumque fient acquiescas libensque, tamquam ab optima sententia procedant, sequaris. Hoc si feceris, neque quereris umquam de diis neque eos veluti neglectus obiurgabis. **31,2** Hoc vero non aliter fieri potest quam si ab his quae non sunt in nobis bonum malumque removeris, et his quae sunt in nobis adieceris. Quod si quippiam eorum quae non sunt in nobis bonum malumve putaveris, necessario, cum aut id quod optabas non fueris assecutus aut in id incideris quod devitabas, reprehendes oderisque earum rerum causas. **31,3** Est enim generi animantium omni a natura tributum ut ea quae nocitura videntur ac eorum causas fugiant atque devitent, ea vero quae utilia sunt causasque eorum appetant et inquirant. Idcirco fieri non potest ut quispiam qui laedi videatur ea re gaudeat qua offenditur, quemadmodum fieri non potest ut ipsā offensione quis gaudeat. **31,4** Hinc pater a liberis convicio afficitur cum non elargitur quae

---

**31,1** proprium esse: esse proprium *R* || iusteque: iuste *M* || fient: fiunt *T* || acquiescas libensque *om. L* || sententia *om. P* || quereris: queris *R* || neglectus: neglectos *MR*

**31,2** bonum malumque removeris et his quae sunt in nobis *om. T* || adieceris: adiceris *N* || bonum malumve: bonumue malum *BN* bonum malumque *L* || necessario: ne necessario *R* || in id: id *R* || devitabas: euitabas *L* euitabas>deuitabas *R* || oderisque: *om. L* oderis *N*

**31,3** qua offenditur: quam offenditur *R* || offensione: offensio *R*

---

**31,1** te vero ad id ordinatum esse: σαυτὸν εἰς τοῦτο κατατεταχέναι *omnes*—κατατεταχότων *maluit Schweighaeuser. Perottus et Meibomius, quem Vptonus et Heynius secuti sunt,* κατατεταχέναι *pro* κατατετάχθαι *accepisse videntur.*

Hoc si feceris: οὕτω.

**31,2** earum rerum causas: τοὺς αἰτίους, *i.e.* 'auctores.' *Perottus fortasse ad verba* τὰ αἴτια, *quae paulo post sequuntur, respexit. Idemne fecit Politianus, qui " oderis eius rei causam " scripsit?*

**31,3** inquirant: τεθηπέναι Dresd *et editiones Venetae*—τεθαυμακέναι *reliqui omnes, unde Politianus vertit " admirentur." Codex Perottinus scripturam meliorem habuit.*

**31,4** a liberis: ὑπὸ υἱοῦ.

pueri censent bona. Hoc Polynici atque Eteocli persuasit ut bonam esse tyrannidem arbitrarentur; ob hoc agricola obiurgat deos, ob hoc nauta, ob hoc negotiator, ob hoc qui liberos quique uxores amittunt. Vbi enim utilitas est, ibi pietas, ibi religio. Quapropter qui ita appetere studet, ita declinare, ut decens est, in eo pietatis quoque studium videtur esse.

**31,5** Libare vero, immolari, et pro ritu patriae primitias offerre, unicuique licet, pure, non lascive, neque cum contemptu neque parce nimis neque praeter vires.

---

**31,4** cum non: cum *N* ‖ elargitur: largitur *L* ‖ Polynici: polinici *AMPTR* ‖ atque: at *N* ‖ Eteocli: eteoci *M* Etheoici *T*[1] Etheolci (?) *T*[2] Etheocli *N* ‖ ut bonam: ut bonum *M* et bonam *P* ‖ arbitrarentur: arbitrentur *P* ‖ obiurgat: obiurgabit *M* ‖ ob hoc negotiator ob hoc: ab hoc negociator ab hoc *W* ‖ quique uxores: quaeque uxores *A* ‖ ibi pietas: ubi pietas *R* ‖ appetere: oppetere *R* ‖ videtur: uidetis *R*

**31,5** Libare: libere>libare *A* ‖ immolari: immolare>immolari *A* ‖ pro ritu: prontu *R* ‖ lascive: cum laxciue *R* ‖ contemptu: contentu *R*

---

quae pueri censent: τῶν δοκούντων . . . τῷ παιδί.

persuasit ut bonam esse tyrannidem arbitrarentur: ἐποίησε πολεμίους ἀλλήλοις τὸ ἀγαθὸν οἴεσθαι τὴν τυραννίδα. *Verba* πολεμίους ἀλλήλοις, *quae plane ignorant codices omnes praeter* Pf *et* Dresd, *in codice quo usus est Perottus defuerunt. Haec verba habet prima editio Veneta; et Politianus sic vertit: "Polinicen atque Eteoclem hoc inter se discordare compulit, quod tyrannidem bonum esse putabant." Cur Schweighaeuser negarit Politianum verba* πολεμίους ἀλλήλοις *in Graecis exemplaribus repperisse, intellegere nequeo.*

pietas . . . religio: τὸ εὐσεβές.

in eo: ἐν τῷ αὐτῷ, *i.e. 'eo ipso' vel 'simul'; non de homine agitur, sed de re sive tempore. Politianus: "eo tempore."*

studium videtur esse: ἐπιμελεῖται—ἐπιμελεῖσθαι Arg Pb Pe Pg *et codex Perottinus. Politianus autem veram secutus scripturam: "pietatem curat."*

**31,5** pro ritu patriae: κατὰ τὰ πάτρια, *i.e. 'ex instituto maiorum.' Politianus: "secundum patrios mores."*

unicuique licet: ἑκάστοτε προσήκει Arg Pb Pe Pg—ἑκάστοις Pa? Pd ἑκάστῳ Pa? Pf, *quod interpretati sunt et Perottus et Politianus ("unumquemque decet").*

cum contemptu: ἀμελῶς *omnes, quod verbum Simplicius quoque (221a)*

**32,1** Cum te ad oraculum contuleris, memento te quid futurum sit ignorare, sed sciscitatum id ad vatem accedere. At quale id sit venisti sciens, si philosophus es. Nam si ex his est quae non sunt in nobis, necesse est id nec bonum esse nec malum. **32,2** Noli igitur appetitum aut declinationem ad vatem veniens afferre; nam si id feceris, trepidus ad eum accedes. Sed confer te ad eum non ignarus quicquid acciderit indifferens fore et, qualecumque id fuerit, nihil ad te attinere. Licebit enim eo recte uti, nemoque id tibi prohibebit. Audax igitur atque intrepidus, tamquam ad consultores, ita ad deos venies. Et cum tibi quippiam consuluerint, memento quos ceperis consultores, quorumque praecepta spreturus sis, nisi fueris per-

---

**32,1** memento: et memento *R* || ignorare: ignoscere *W* || accedere: accedar *A* || si philosophus: sibi philosophus *H* || est id: est *R* || nec bonum: neque bonum *L* || nec malum: neque malum *L*

**32,2** ignarus: ignorans *T* || indifferens: indeferens *M* || qualecumque: quale unquam *R* || consultores: consultores iuris $T^2$ || consuluerint: consuluerit *R* || ceperis: coeperis> ceperis *F* caeperis *B* caeperint *N* ceperit *R* || quorumque: quorum quae *R* || spreturus: spreturos *M*

---

*agnoscit. Hoc, ni fallor, codex Perottinus omisit (alioqui interpres* ' negligenter ' *hoc loco scripsisset), servavit autem ea quae Simplicius (221b) e codice suo affert:* 'Αλλ' " οὐδ' ἀσεβῶς," φησὶ, δεῖ προσιέναι · τοῦτ' ἔστιν, ἄνευ σεβασμοῦ.

**32,2** si id feceris, trepidus ad eum accedes: μηδὲ τρέμων αὐτῷ πρόσει Pd—εἰ δὲ μή, τρέμων *reliqui et codex quo usus est Perottus.*

confer te ad eum: *Adiecit interpres.*

qualecumque id fuerit: *Perottus phrasim sic ordinavit cum veterem interpunctionem, quam exhibent codices nonnulli a Schweighaeusero non satis enodate memorati, secutus esset hoc loco ubi ille doctus verba hunc in modum distinguit:* οὐδὲν πρὸς σέ · ὁποῖον δ'ἂν ᾖ, ἔσται {γὰρ} αὐτῷ χρήσασθαι καλῶς—*qua ratione accepta cum Politiano vertendum est: " licebit, quodcunque id sit, eo bene uti." (Verbum* γάρ, *quod habent codices omnes praeter* Pg, *delendum statuit Schweighaeuser, cui recentiores editores sunt suffragati, quamquam de interpunctionis ratione dubitasse videntur, quippe qui utroque loco minimas distinctiones posuerint.) Codex quo usus est Perottus distinctionem mediam post* ᾖ *positam et particulum* γάρ *habuit.*

audax atque intrepidus: θαρρῶν.

quorumque praecepta spreturus sis, nisi fueris persuasus: τίνων παρακούσεις ἀπειθήσας.

suasus. **32,3** Accede ad sciscitanda oracula ut Socrates probabat, id est de his rebus quarum consideratio omnis ad eventum refertur, neque ratione aut arte aliqua colligi potest ut quod propositum est comprehendatur. At cum pro amico seu patria subeunda pericula erunt, noli vatem consulere an subeunda sint. Quamlibet enim tibi praedixerit tristia fuisse sacrificia, quod mortem vel vulnera vel exsilium portenderint, nihilo tamen segnius amico et patriae opitulandum, et maxima quaeque pro iis subeunda pericula, ratio admonebit. Quocirca imprimis maximi illius vatis Apollinis Pythii animadvertenda sententia est, qui quendam ex templo eiecit, quod amico dum occideretur adesse noluerat.

---

**32,3** sciscitanda: sciscanda *P* || his rebus: id rebus *P* || omnis: minus *MT* unus *P* || colligi potest: collegi potest *A* colligi pote *W*[1] *cor.* *W*[2] || propositum: prepositum *WR* || an subeunda: in subeunda *A* || tristia fuisse: te ista fuisse *A* te ista frustra fecisse *MPT* || sacrificia *om.* *T* || vel vulnera: quod uulnera *L* || exsilium: exilium *omnes* || nihilo: nihil *MPT* || et patriae: uel patrie *M* || pro iis: pro his *AMPTHBNR* || Quocirca: *in margine* SENTENTIA VATIS PITHII *R* || Pythii: pithii *WMPT*[1] phithij *RT*[2] || animadvertenda: omni aduertenda *A* || noluerat: uoluerat *A*

---

**32,3** at cum . . . subeunda pericula erunt: *ὥστε, ὅταν δεήσῃ συνκινδυνεῦσαι* Arg Pa Pb Pe—*δέῃ reliqui.*

praedixerit: *προείπῃ* Pd (*et codex Perottinus*)—*προσείποι* Pb Pg *προσείπῃ reliqui omnes.*

quod . . . portenderint: *δῆλον ὅτι . . . σημαίνεται. Politianus: " manifestum est aut mortem significari " etc. Vtrum δῆλον e codice Perottino exciderit, an verbum interpres praeterierit, dubium est.*

vulnera: *πήρωσις μέρους τινὸς τοῦ σώματος.*

nihilo tamen segnius: *καὶ σὺν τούτοις. Interpres melius reddidisset: " etiamsi haec eventura sint."*

amico et patriae opitulandum . . . et . . . pro iis subeunda pericula: *παρίστασθαι τῷ φίλῳ καὶ τῇ πατρίδι συνκινδυνεύειν. Verbum παρίστασθαι, unde orta est Perottina versio, habent* Pa Pg Vhab Vpab; *in reliquis omnibus legitur παρίσταται, quod manifesto ante oculos habuit Politianus cum verteret: " Sed dictabit ratio teque confirmabit."*

maxima quaeque: *Adiecit interpres.*

ratio admonebit: *αἱρεῖ ὁ λόγος ex coniectura scripsit Vptonus—ἐρεῖ* Pa Pg Vhab Vpabd *ἔνι reliqui.*

Apollinis: *Adiecit Perottus.*

animadvertenda sententia est: *πρόσεχε.*

dum occideretur: *ἀναιρουμένῳ, verbum quod habent codices omnes, sed a Politiano praetermissum.*

**33,1** Constitue tibi characterem et figuram aliquam quam assidue serves, et cum tecum eris et cum inter ceteros versabere.

**33,2** Silentium frequens sit, vel tantum necessaria dicantur et haec quam brevissime. Raro et tempore ad id hortante ad dicendum accedes, non de rebus vulgaribus, non de concertationibus neque de equorum cursu neque de athletis neque de conviviis—quae ubique sparsim profunduntur ab omnibus—sed imprimis neque de hominibus detrahendo cuipiam, aut e contrario laudando aut comparando. **33,3** Sed, si possis, non modo tuos, verum etiam eorum cum quibus conversaris, sermones transfer ad decorum; quod si te inter alienos comperias, tace.

---

**33,2** brevissime: grauissime *T* || equorum: ecorum *H* || ubique: ubi *A* || de hominibus: ab hominibus *BN* || detrahendo cuipiam: detrahendo cupiam *AR* *Notandus hoc loco est soloecismus quo Perottus sermonem saepe inquinavit; cf. 33,9 ("detrahere tibi" = male de te loqui) et 48,2 ("nemini detrahit" = neminem vituperat); eundem soloecismum autem, teste Thesauro Linguae Latinae (q.v.), "persaepe apud scriptores recentiores" invenies.*

**33,3** verum etiam: ueruent *R* || transfer: transfert *R* || alienos: alios *N* || comperias: coperias *A*

---

**33,2** ad id: *Supplevit interpres, qui paulo post in codice suo (ut mox videbimus)* ἥξομεν *legerat.*

ad dicendum: ἐπὶ τὸ λέγειν {τι}. *Pronomen, quod habent codices omnes praeter unum a Villebrunio laudatum, delevit Schweighaeuser, Nilo potissimum fretus. (Lectiones a Salmasio Harrisioque traditas plerumque taceo; eas equidem flocci faciendas haud existimo, sed parum constat unde depromptae, qua aetate scriptae sint.) Si pronomen interpres in codice suo legisset, haec certe eodem modo ac Politianus Latine reddidisset: "ad aliquid dicendum."*

accedes: λέξον μέν Pf Pg (*et codex Politiani, qui scripsit "dic quidem"*) —ἥξομεν *vitiose reliqui, quibuscum consensit codex Perottinus.*

de concertationibus: περὶ μονομαχιῶν, *i.e. de gladiatorum pugnis seu spectaculis. Vocabulo Latino, quod proprie ad controversias tantum spectat, male abutitur interpres.*

de conviviis: περὶ βρωμάτων ἢ πομάτων.

quae ubique sparsim profunduntur ab omnibus: τῶν ἑκασταχοῦ {λεγομένων} *omnes; delevit Schweighaeuser.*

detrahendo cuipiam: ψέγων, *proprie 'vituperans.'*

e contrario: *Interpretationis causa adiecit Perottus.*

**33,3** non modo tuos, verum etiam eorum cum quibus conversaris,

33,4 Risus non magnus, non frequens neque effrenatus sit.

33,5 Iusiurandum, si fieri possit, prorsus evita; sin minus, vel pro viribus.

33,6 Convivia exteriora atque vulgaria fuge. Quod si ad id te interim tempus aliquod impellat, cave ne te vulgaribus immisceas. Neque te lateat pollutum hominem eum quoque qui secum versatur, etiam si purus sit, necessario labefactare.

33,7 Quae circa corpus sunt in tenuem dumtaxat usum sumas oportet: cibaria, potum, vestes, domum, ministros. Quae vero ad fastum attinent vel ad delicias, protinus circumscribe.

33,8 A venereis antequam uxorem duxeris quantum vires tuae patiuntur abstine. Cum vero ad id te necessitas urgeat, his dum-

---

33,5 sin minus: sim minus *N* si manus *R*

33,6 fuge: fruge *R* || ad id te interim: te ad id aliquando *L* || tempus aliquod: tempus *L* || quoque: quo *R* || etiam si: etiam *L* et si *APT* si *M* || labefactare: labefactari *R*—*in margine* NOTA *R*

33,7 sumas: summas *FVWPMHR* || vestes: uestem *PMT* || ad delicias: ad delitias *FLH* adelitias *W* || circumscribe: circumscribere *R*

33,8 uxorem duxeris: duxeris vxorem *L* || ad id te: te ad id *L* || urgeat: urgat *W* ||

---

sermones: τοῖς σοῖς λόγοις καὶ τοὺς τῶν συνόντων Pf Vpc—τοὺς σοὺς λόγους *reliqui omnes et codex Perottinus.*

33,4 frequens: ἐπὶ πολλοῖς.

33,6 vulgaribus immisceas: ὑπορρυῇς εἰς ἰδιωτισμόν Arg Pf— ἀπορρυῇς Pa Pb Pd Pe Pg. *Quid legerit interpres noster, miror. Licentius vero proxima vertit, sed eum nudum verbum* 'cave' *pro* ἐντετάσθω σοι ἡ προσοχή, *quae habent codices omnes, posuisse arbitror cum sibi persuasum haberet se et minus Latine et obscurius scripturum fuisse, si verbum pro verbo (v.g. " intendatur animi tui adtentio " vel " cura ut tibi sit assidua animi intentio ") reddidisset. Nec male quidem vertit. Hoc quoque loco, si saltem* 'rebus vulgaribus' *scripsisset, haud negarem eum veram scripturam ante oculos habuisse, nam fieri sane potuit ut interpres ambigeret de vi infrequentis verbi quod idem fere ac* 'imprudenter recidere' *valet. Quod scripsit autem* ('vulgaribus') *ad homines spectat, eos scilicet qui mox* polluti *dicentur. Ex huius capitis §15, quo loco Perottus, non peritissime quidem, sed tamen non absurde,* 'ad vilitatem' *posuit pro* εἰς ἰδιωτισμόν, *apparet eum quae vis his inesset vocabulis satis intellexisse.*

33,8 ad id te necessitas urgeat: ἁπτομένῳ. *Participium media voce positum pro passivo acceperunt et Perottus et Politianus, qui vertit:* " *Quod si cogimur.*"

taxat utere quae legibus concessae sunt. Neque tamen molestus esse illis utentibus debes, neque eos reprehendere, neque te quod illis minime utaris ostentare.

**33,9** Si quis tibi significaverit detrahere illum tibi, noli videri defendere innocentiam tuam iniusteque illum tibi calumniatum ostendere, sed ad hunc modum responde: "Ignorabat ille profecto cetera vitia mea; non enim haec dumtaxat rettulisset."

**33,10** In theatra memento tibi non esse saepius eundum. Quod si quando id requirat tempus, cave ne videaris alteri studere quam tibi, hoc est, ut velis ea solummodo fieri quae fiunt, eum tantummodo vincere qui victor fuit; hoc modo nihil erit quod te impediat. A clamore et a plausu et nimia assensione omnino abstine. Posteaquam inde redieris, noli multa quae ex his videris repetere, et ea

---

utere: vere *R* || concessae: necesse *BN* || illis minime utaris: minime illis utare *L*

**33,9** Si quis tibi: si quis tamen *L* || non enim: non *L*

**33,10** theatra *om. R* || requirat: requirit *P* || quam tibi: *Codicibus hoc loco consentientibus impedior ne* 'potius' *scribam quo oratio suppleatur; Perottum neglegentius scripsisse arbitror.* || ut velis: uelis *L* quod uelis *T* || fiunt: fuerit *R* || eum tantummodo vincere qui victor fuit *om. R* || et a plausu: et applausu *FVWRT*[2] a plausu *MP* || assensione: assentione *N* || omnino abstine: te abstine *L* || Posteaquam: postquam *HBN* || quae ex his: ex his quae *T*[2]

---

his dumtaxat utere quae legibus concessae sunt: ὧν νόμιμόν ἐστι, μεταληπτέον Pg (*et codex Perottinus*)—ὡς *reliqui omnes. Veram lectionem Politianus fortasse e commentario deprompsit: "quae tamen sunt legitima, assumenda."*

neque te . . . ostentare: μηδὲ πολλαχοῦ . . . παράφερε.

**33,9** noli videri defendere innocentiam tuam: μὴ ἀπολογοῦ πρὸς τὰ λεχθέντα.

iniusteque illum tibi calumniatum ostendere: *Nullo in codice Graeco similia inveniuntur.*

**33,10** Memento: *Adiecit Perottus.*

hoc modo nihil erit: *Haec verba et quae sequuntur ab omnibus codicibus probantur. Apud Politianum vero pro his invenimus verba nonnulla quae fortasse e Commentario (280b) sumpsit: "Status autem ne sit gravis, sed constans cum quadam laetitia."*

a plausu: τοῦ ἐπιγελᾶν τινι.

nimia assensione: ἐπὶ πολὺ συγκινεῖσθαι *e paraphrasi in contextum recepit Schweighaeuser, qui ea sic interpretatus est: "motibus et agitatione corporis motus alterius (sc. histrionis) imitari." Huic scripturae viri*

praesertim quae ad tui emendationem non faciunt. Nam si aliter feceris, admiratus fuisse spectaculum videbere.

**33,11** Ad audiendum aliquem neque frustra neque facile accedes. At cum accesseris, honestatem atque constantiam serva, et nemini eris molestus.

**33,12** Dum quempiam, ex his praesertim qui erunt in aliqua dignitate constituti, convenire te oportebit, quid Socrates hoc loco, quid Zeno fecisset cogitabis, et quam decore in hoc casu habere te possis invenies.

---

**33,11** accedes: accedas *PT* ‖ at cum: et cum *HBN* ‖ nemini eris: nemini eris nunquam> unquam *L* memini eris *R*

**33,12** constituti: constituisti *W* constitui *M* ‖ Zeno: Çeno *T*

---

*docti Henricus Schenkl et Gulielmus Oldfather suffragati sunt; hic tamen verbum ut ad animi commotionem seu perturbationem (Anglice, "great excitement") spectans accepit.*—ἐπισυγκεῖσθαι Pa ἐπικινεῖσθαι *reliqui. Manifestum est,* Pa *solum e codicibus qui hodie supersint omnibus lectionem exhibere quam interpres noster ante oculos habuerit.*

ea praesertim: ὅσα *omnes; cf. quae ad locum adnotavit Schweighaeuser: "nil urget, ut ex Paraphr. <ante* ὅσα> *adjiciamus* μάλιστα δέ, *quod Heynius maluerat." Sed Perottus in codice suo* μάλιστα δέ *legisse videtur.*

nam si aliter feceris . . . videbere: ἐμφαίνεται γὰρ ἐκ τοῦ τοιούτου.

**33,11** neque frustra neque facile: μὴ εἰκῇ μηδὲ ῥᾳδίως Pa, "*in quo,*" *inquit Schweighaeuser,* "*inter multa sive neglegentiae sive imperitiae posteriorum librariorum documenta, iam passim optimas quasque et probatissimas lectiones e vetusto aliquo exemplo conservatas vidimus.*"—ἧκε *reliqui. Quamquam interpres* 'frustra' *pro verbo, quod proprie* 'temere' *significat, male posuit, non est dubium quin meliorem scripturam in suo codice servatam ante oculos habuerit.*

honestatem: τὸ σεμνόν, *melius,* '*gravitatem.*'

constantiam serva, et nemini eris molestus: καὶ <τὸ> εὐσταθὲς καὶ ἅμα ἀνεπαχθὲς φύλασσε.

**33,12** cogitabis: πρόβαλε σαυτῷ.

et quam decore in hoc casu habere te possis invenies: καὶ οὐκ ἀπορήσεις τοῦ χρήσασθαι προσηκόντως τῷ ἐμπεσόντι. *Vtrum interpres noster suam versionem e Commentario (282c) hauserit, an Epicteti sententiam adeo licenter reformandam potius quam totidem verbis reddendam statuerit, me nescire fateor.*

**33,13** Aedes alicuius potentis frequentanti tibi cogita accidere posse ut illum non offendas domi, ut excludaris, ut fores in te cum impetu quatiantur, ut contemnaris. Quod si cum his eundum tibi iudicaveris, cum veneris quicquid acciderit patienter ferto, neque umquam tecum dicito: " Non eram hac re dignus." Vulgare namque id est et ad exteriora pertinens.

**33,14** Inter confabulandum absit frequens et immoderata tuorum operum laborumque memoria; neque enim, ut tibi grata est tuorum periculorum commemoratio, ita ceteris tuorum casuum narratio iucunda. **33,15** Absit protinus nimia movendi risus frequentia. Est enim res fere vulgaris, et nescio quo modo ducit ad vilitatem, et haec una venerationem, quam tibi hi cum quibus conversaris habent, potest auferre. **33,16** Est etiam periculum ad verborum

---

33,13 Aedes: Edes *omnes* || accidere: accidere tibi *P* || non offendas: offendas *T*[2] || impetu: ipse tu *R* || eram hac: erat hac *T* eram ac *R* || et ad: etade *R*
33,14 ceteris: ceterum *MT* || casuum: casum *W* || iucunda: iocunda *FAVPM* iocucla *W*
33,15 protinus: procul *L* || risus: usus *VL* || vilitatem: utilitatem *LHBN* || potest auferre: post auferre *L*

---

**33,13** ut fores in te cum impetu quatiantur: *ὅτι ἐντιναχθήσονταί σοι αἱ θύραι e Nilo scripsit Schweighaeuser.—οὐκ ἀνοιχθήσονται* Pg, *quocum congruit codex quo usus est Politianus cum redderet: " ut tibi fores non pateant." ἐκτιναχθήσονται reliqui. Dubitare non possumus quin Perottus codice melioris notae usus sit, sed perdifficile est statuere utrum verbum a Schweighaeusero in contextu receptum, an ἐπιτιναχθήσονται, quod Wolfius legendum putaverat, in codice suo Perottus habuerit.*

non eram hac re dignus: *οὐκ ἦν τοσούτου ex coniectura scripsit Naogeorgius, cui suffragatus est Schweighaeuser, cum eadem in* Vpc *Haf. et Nil. invenisset.—τοσοῦτον codices omnes praeter* Pg, *qui habet τοσούτου ἄξιος, quocum congruere videntur codex Perottinus et codices quibus usus est Politianus cum verteret: " Talia non merebar."*

ad exteriora pertinens: *διαβεβλημένον πρὸς τὰ ἐκτός—διαβεβλημένου* Pd. *Interpres, quid significaret verbum Graecum, non satis intellexisse videtur.*

**33,15** Absit protinus nimia movendi risus frequentia: *ἀπέστω δὲ καὶ τὸ γέλωτα κινεῖν. Haec verba accurate vertit Politianus: " Absit etiam ut risum moveas." Perotto procul dubio visum est Epicteti sententiam, ne*

turpitudinem pervenire; quod si quando ita casus tulerit ut id facere necesse sit, erit is qui modum excessit increpandus. Quod nisi facere potueris, silentio saltem et rubore et oris tristitia declarandum erit graviter te et iniquo animo ferre eiusmodi sermones.

34 Cum de aliqua voluptate opinionem conceperis, quemadmodum in ceteris rebus diligenter te custodi ne illā arripiaris, sed exspectet te res ipsa et tu aliquantisper te ipsum differ. Deinde utrumque tempus considera, et illud in quo voluptate frueris, et illud cuius post patratum opus te pigebit, cum te tu ipse obiurgabis. Hoc tibi pone ante oculos, ut abstinens laetere et tu te ipsum laudes. Quod si commodum esse censueris opus aggredi, cave ne te prorsus delectatio, voluptas, illecebrae vincant; sed quanto satius quantoque laudabilius fuisset, conscium esse te tantae victoriae, considera.

---

**33,16** Est etiam: est enim *L* || erit is qui: erit qui *L* erit his qui *R* || et iniquo: iniquo *R*
**34** custodi: custodire *R* || exspectet: expectat *MPT* expectet *reliqui* || differ: differt *T*[1] *cor. T*[2] || post patratum: patratum *R* || cum te: cunte *R* || pone: pone tibi *T*[1] *cor. T*[2] || et tu te: et te *R* || censueris: consueris *H* || conscium esse te: consium fuisset te conscium esse *R*

---

*philosophus morosior atque inhumanior videretur, aliquo modo lenire et saeculi sui moribus accomodare.*

res fere vulgaris: ὀλισθηρὸς γὰρ ὁ τρόπος Pf—τόπος *reliqui. De Politiani versione, quae fere ad verbum cum Perottina hoc in loco congruit, vide quae diximus in praefatione*, p. 30.

**33,16** ut id facere necesse sit: ἂν μὲν εὔκαιρον ᾖ, *proprie " si quidem tibi per temporis rationem licuerit (eum qui obscene locutus est increpare)."*
graviter te et iniquo animo ferre eiusmodi sermones: δυσχεραίνων τῷ λόγῳ. *Politianus: " eum te sermonem ferre iniquo animo."*

34 Hoc tibi pone ante oculos: τούτοις ἀντίθες, *i.e. " his (sc. voluptati et paenitentiae) oppone." Quae in verbo vis inesset haud intellexit interpres, qui ad huius capitis finem* ' considera ' *pro* ἀντιτίθει *scripsit, eodem usus vocabulo quod paulo ante pro* μνήσθητι *posuerat.*
ut . . . laetere: ὅπως . . . χαιρήσεις—χαιρήσῃ Arg Pb Pe Pf Pg. *Vtraque scriptura autem idem fere ac* ' quo modo gavisurus sis ' *valet. In* ὅπως *consentiunt codices quos adhibuit Schweighaeuser.*
quanto satius quantoque laudabilis: πόσῳ ἄμεινον.

**35** Cum quippiam quod tibi esse faciundum videtur aggrederis, numquam cavere debes ne id agere te palam omnes intelligant, etiam si vulgus secus opinaturum sit. Nam sive non recte facis, ipsum opus fugiendum est; sive recte, quid eos vereris qui te non recte increpaturi sunt?

**36** Quemadmodum cum dicimus " dies est " et " nox est," haec propositio ut disiunctiva quidem magnam habet dignitatem, ut condicionalis vero omni prorsus dignitate caret, ita si quis interdum maiorem sibi partem sumpserit, quantum ad corpus quidem attinet dignitatem habet, quantum vero ad communitatem quam observare in convivio decet omnis prorsus dignitatis est expers. Cum igitur inter alios ēsse te oportebit, memento non solum tibi necessitatem corporis tui animadvertendam, verum etiam dignitatem quam observare inter convivantes decet.

**37** Si praeter vires tuas personam aliquam subieris, eveniet tibi ut et in ea turpiter te geras, et quam subire optime potuisses omittas.

---

**35** faciundum: faciendum *MPT* || etiam si: et si *AMPT*

**36** et nox: ut nox *MPT*$^{1}$ aut nox *T*$^{2}$ || ut disiunctiva: ut disiunctia *P* aut disiunctiua *T*$^{2}$ || vero omni: quidem omni *P* || communitatem: comitatem *MPT* || convivio: continuo *N* || dignitatis: dignitas *N* || igitur: interim *R* || esse te: te esse *MPT* || animadvertendam: animaduertenda *W*

---

**35** id agere te palam omnes intelligant: ὀφθῆναι πράσσων αὐτό—ὀφθῆναι *om.* Pa, *habent autem reliqui et codex Perottinus.*

**36** " dies est " et " nox est ": Ἡμέρα ἐστί, καὶ Νύξ ἐστι Arg Pb Pe Pf—Ἢ ἡμέρα ἐστὶν ἤτοι νύξ ἐστι *vel similia habent* Ax Pa Pb Pc Pd Pg Pi, *unde fluxit Politiani versio: " aut dies aut nox est."*

dignitatem: ἀξίαν. *Idem apud Politianum.*

ut condicionalis: πρὸς δὲ τὸ συμπεπλεγμένον.

ad communitatem, quam observare in convivio decet: πρὸς δὲ ⟨τὸ⟩ τὸ κοινωνικὸν ἐν ἑστιάσει, οἷον δεῖ, φυλάξαι—αἰδοῖ Pg, *quod maluit Schweighaeuser, cuius adnotationes vide. " Nusquam fere magis, quam in hoc loco, variant libri."*

inter alios esse: συνεσθίῃς ἑτέρῳ—συνεστίῃς Arg Pb Pe Pg$^{2}$ συνεστιάσῃ Pg.

dignitatem, quam observare inter convivantes decet: τὴν πρὸς τὸν ἑστιάτορα αἰδῶ φυλάξαι *scripsit Schweighaeuser.*—οἵαν δεῖ φυλαχθῆναι *omnes. Confer quae ad locum adnotavit Schweighaeuser, qui multum de verborum significatu et eā quae inter codices est discrepantia disseruit.*

38 Inter deambulandum quemadmodum caves ne in clavum incidas, ne pedem contorqueas, ita cavere debes ne tuo intellectui obsis. Id si omnibus in rebus observaveris, securius unumquodque perficies.

39 Mensura possessionum corpus est, quemadmodum pes calcei. Itaque si in hoc steteris, mensuram servabis; si excesseris, necesse erit te tamquam ad praecipitium ferri. Sicuti in calceo, si mensuram pedis excedas, auratus calceus fiet, deinde porphyreus, deinde alterius generis. Nam quod semel modum excessit, eius nullus terminus est.

40 Mulieres, cum primum quartumdecimum aetatis annum attigerint, dominae a viris appellantur, cumque nihil esse in se intelligant praeterquam quod dormire cum viris possunt, incipiunt se ornare, spesque omnes in eo suas collocant. Quapropter curandum est efficiendumque ut intelligant non alterius rei gratia honorari se quam quod honestate pudicitiaque decorae sint.

---

38 securius: securus *MPT*

39 Mensura: mensuram *R* || mensuram servabis: mensura seruabis *BN* || praecipitium: precipium $T^1$ precipitatum $T^2$ || porphyreus: porfyreus *FHWLB* porphirius *AP* porfphirius *MT* pforfyreus *V* porfirius *R* *Hoc vocabulum vix alibi apud Perottum invenies; cf. Cornucopiae: " quoniam purpura Graece* πόρφυρα *vocatur,* porphyriacus *quoque pro purpureo accipitur."* || Nam quod: nam que *R*

40 Mulieres: mulieris *R* || attigerint: attingerint *WR* || dominae: dormire *AMPT* || viris: ueris *R* || esse in se: in se esse *PM* || praeterquam quod: preterquam *AMPT* || in eo: in ea *R* in eo ornatu $T^2$ || Quapropter: quia propter *R* || curandum est: curandum *P* || honorari: ornari *MPT*

---

**38** ne tuo intellectui obsis: μὴ καὶ τὸ ἡγεμονικὸν βλάψῃς τὸ σεαυτοῦ.
observaveris . . . perficies: παραφυλάσσωμεν . . . ἁψόμεθα.

**39** alterius generis: κεντητόν. *Perottus fortasse, quid verbum significaret, comperire nequivit.*

**40** cumque nihil esse *e. q. s.: Hoc in loco Perottus satis accurate verba Graeca Latine reddidit, sed mirum in modum a contextu digressus est Politianus, apud quem legimus: " his* [*sc. mulieribus*] *enim viri ob concubitum blandiuntur. Virorum ergo culpā sibi deinceps nimis placent." Haec e Simplicii commentario (300b) orta videntur.*
curandum est efficiendumque: προσέχειν ἄξιον.
honestate pudicitiaque decorae sint: κόσμιαι φαίνεσθαι καὶ αἰδήμονες {ἐν σωφροσύνῃ}. *Verba in uno codice* Pg *omissa delevit Schweighaeuser. Quid legerit Perottus, dubium.*

**41** Mali ingenii argumentum est in iis versari diutius quae circa corpus sunt, nimis exerceri, nimis ēsse, nimis potare, nimis beneficio ventris uti, nimis coitu. Haec enim ita facienda sunt, quasi de industria non fiant. Menti vero omnis nostra cura, omne studium adhibendum est.

**42** Si quis tibi male vel faciat vel dicat, scito illum putare id se ex officio facere vel dicere. Fieri itaque non potest ut ille quod tibi videtur faciat, sed id faciat quod ipse faciundum censet. Quapropter si eius iudicium falsum est, ipse laeditur, siquidem ipse est qui fallitur. Nam si quis est qui veram condicionalem falsam existimet, non laeditur quidem condicionalis, verum ipse qui fallitur. His igitur innixus, mitius te atque humanius geres adversus eum qui te convicio afficit; dices enim in singulis: "Ita illi videtur; ita ille iudicat."

**43** Res omnes duas rationes habent, tolerabilem alteram, alteram intolerabilem. Si germanus tuus tibi iniuriam facit, noli id advertere

---

**41** in iis: in is *M* in his *WLPTHBN* || diutius quae: diutiusque *A* || facienda: faciendum *L*

**42** dicere: decere *MPT* || faciundum: faciendum *AMPTR* || falsum est: falsum *H* falsum esset *R* || ipse est: ipse *T* || verum ipse: uerum ipsi *T* || mitius te: mitius *R*

**43** NOTA *R* || tolerabilem alteram alteram intolerabilem: tollerabilem atque intollerabilem *MPT* tollerabilem *A*[1] intollerabilem et tollerabilem *A*[2] tollerabilem alteram intollerabilem

---

**41** nimis esse *e. q. s.*: *Verba Graeca satis diligenter Perottus vertit, sed ea quae apud Politianum invenimus e Simpliciano commentario inopportune huc traducta videntur.*

quasi de industria non fiant: ἐν παρέργῳ.

omnis . . . cura, omne studium: ἡ πᾶσα . . . ἐπιστροφή.

**42** condicionalem: *Sic iterum* συμπεπλεγμένον *vertit interpres noster.*

mitius te atque humanius geres adversum eum qui te convicio afficit: πρᾴως ἕξεις πρός τὸν λοιδοροῦντα.

Ita illi videtur; ita ille iudicat: Ἔδοξεν αὐτῷ.

**43** rationes: λαβάς, *scilicet 'ansas.' Perottus metaphoram audacius positam existimavit.*

germanus: *Interpres fortasse hoc loco non 'frater' sed 'germanus' scripsit ut vim vocabuli, quod est* ἀδελφός, *accuratius servaret; eo enim tempore, ni fallor, id sibi persuasum habebat quod postea in Cornucopiae verum esse negavit " quamvis Varro* [*ap. Serv. ad* Aen. *V.412*] *germanos esse dicat ex eadem genetrice natos." Mox autem 'frater' pro*

quod tibi iniuriam facit—haec est enim pars intolerabilis; sed illud potius attende quod frater est, quod sodalis, et hac ratione fiet id tolerabile.

44 Huiusmodi sermones non recte concludunt: "Ego te ditior sum; melior igitur te sum. Ego te litteratior; ego igitur melior." Illa sunt quae potius concludere videntur: "Ego sum te ditior; mea igitur possessio quam tua melior est. Ego te litteratior; mea igitur oratio melior." Tu vero nec possessio nec oratio es.

45 Lavat se quispiam quam celerrime; noli dicere hunc male lavari. Bibit alius multum vini; noli affirmare eum male bibere, etsi affirmare possis multum. Nam antequam illius consilium scias, quî scire potes an id male faciat? Eveniet profecto tibi ita facienti ut alias quidem opiniones animo concipias, aliis assentiaris.

---

*R* || germanus: germanus frater *T*[2] || noli id advertere quod tibi iniuriam facit *om. VLP* || sodalis: sodalis est *MPT* || fiet: fiat *MPT*

44 Ego te ditior: ego ditior te *L* || igitur te: te igitur *HBN* ||

45 affirmare eum: affirmare illum *L* || multum: multu *R* || qui: quid *T*[2] || ut alias: uel *N*

---

ἀδελφὸς *posuit; fieri igitur potuit ut 'germanus' priore loco scriberet ne eodem vocabulo una in sententia bis uteretur.*

noli id advertere: μὴ λάμβανε.

pars: ἡ λαβή.

illud potius attende: ἐκεῖθεν μᾶλλον.

sodalis: σύντροφος, *proprie 'collacteus,' vel latiore sensu, ut apud Politianum, "tecum educatus."*

44 non recte concludunt: ἀσύνακτοι.

litteratior: λογιώτερος, *proprie 'facundior.'*

quae . . . concludere videntur: συνακτικοί Pd Pf—συνεκτικοί Pg *Paraph.* συντακτικοί *Haf. Nil.* συνακτοί Arg Pa Pb Pc Pe. *Vtrum codex Perottinus cum* Pd *an cum* Pa *consenserit, dubium.*

45 noli dicere hunc male lavari: μὴ εἴπῃς ὅτι κακῶς, ἀλλ' ὅτι ταχέως *omnes. Qua de causa Perottus alteram huius dicti partem praetermiserit, ambigo.*

etsi affirmare possis: ἀλλ' ὅτι.

eveniet profecto tibi: οὕτως οὐ συμβήσεται—οὐ *ex Nilo huc transduxit Vptonus;* οὖν *omnes et codex Perottinus.*

alias: ἄλλων Pg—ἄλλας *reliqui et codex Perottinus.*

opiniones animo: φαντασίας καταληπτικάς.

**46,1** Nusquam te philosophum voca, neque saepe inter vulgares de philosophiae praeceptis loquere, sed exerce potius quod praecepta continent. In convivio noli quo pacto comedendum sit disserere, sed ut decens est comede. Illud continue habe in memoria atque pectore, hunc in modum amovisse a se Socratem omnem ostentationem. Itabant ad eum multi qui fieri ab eo philosophi cupiebant; hic illos abigebat, contemnebatur hoc modo, et patienter ferebat. **46,2** Quapropter si coram vulgaribus de aliquo philosophiae prae-

---

**46,1** in convivio: in conviviis *P* ‖ disserere: dicere *MPT* ‖ comede: commode *A* ‖ illud: id *A* ‖ continue: continuo *L* ‖ in memoria: *in margine* NOTA *W* ‖ atque pectore *om.* *L* ‖ Itabant: stabant *AMPT* itarbant *R* ‖ multi qui: multi quae *A* ‖ abigebat: abiebat *MPT*[1] ‖ contemnebatur: contendebatur *L* contempnabatur *R*

**46,2** NOTA *R* ‖ Quapropter si: quapropter *N* ‖ coram vulgaribus: quoram uulgaribus *W*

---

**46,1** exerce potius quod praecepta continent: ἀλλὰ ποίει τὸ ἀπὸ τῶν θεωρημάτων Pa Pd Pf Pg—ποίει τι Pf, *unde Politianus deprompsit "fac aliquid ex ipsis speculationibus." Totus locus deest in* Arg Pb Pc Pe Ed. Ven.

In convivio: οἷον, ἐν συμποσίῳ. *Particula quae* 'verbi gratia' *significat, e Perottino codice fortasse exciderat.*

continue habe in memoria atque pectore: μέμνησο.

Itabant: ὥστε ἤρχοντο Pd—ὥστε *om.* Arg Pa Pb Pe Pf Pg *et codex Perottinus. Tota haec sententia deest in Dresdensi codice et in prima editione Veneta, quacum iterum congruit Politiani versio, ubi nihil de eis, qui Socratem adibant, legitur.*

fieri ab eo philosophi: φιλοσόφοις ὑπ' αὐτοῦ συσταθῆναι Pd Vpc—φιλόσοφοι Arg Pa Pb Pe Pf. *Alia verborum series in* Pg. "*Pro* συσταθῆναι *vitiose* σταθῆναι *scribitur in* Vhab & Vpab *sed statim adjicitur* '*melius* συσταθῆναι.'"—*Schweighaeuser. Perottus cum verbum* φιλόσοφοι *recto casu positum legisset, utrumque verbum infinitivum hoc modo interpretari et pro eo* 'fieri' *scribere potuit.*

hic illos abigebat: κἀκεῖνος ἀπῆγεν αὐτούς, *id est*, 'ipse illos ad philosophos deduxit.' *Idcirco Perottus sententiam male interpretatus est, quod Epictetum loqui credebat de eis qui, ut ab Socrate erudirentur, postulavissent. Simplicianum commentarium (311b-c) igitur hoc loco non adhibuit.*

contemnebatur hoc modo: παρορώμενος.

**46,2** Quapropter si: Κἄν—ὥστε κἄν Arg Pa Pb Pe Pf Pg.

cepto sermo oriatur, frequenter tace: est enim non parvum periculum statim evomere quod non digessisti. Cum quispiam tibi obiecerit nihil scire te tuque non aegre tuleris, tunc intelligas aliquid te coepisse proficere. In summa, sicuti oves non herbas pastoribus ferunt nec quantum ederint ostendunt, sed pastum interius digerentes extra lac lanamque producunt, ita tu quoque noli ostendere vulgaribus praecepta philosophiae quae didicisti, sed ex iis, cum ea recte digesseris, opera.

47 Cum paucis contentum esse corpus tuum assuefeceris, ea re gloriari non debes. Si aquam bibis, noli opportunitatem quaerere qua bibere te aquam dicas. Si interim perferendis laboribus assuefacere

---

|| est enim: etenim *W* || nihil scire: nil scire *A* || tunc intelligas: intelligas tunc *L* || aliquid te: te aliquid *PHBN* || proficere: profitissere *R* || nec quantum ederint ostendunt *om. L* || digerentes: diggerentes *FW* degerentes *A* || noli: *in margine* NOTA *FA* || ostendere vulgaribus: uulgaribus ostendere *T* || sed ex iis *om. N*—iis: is *PT* his *HMB* || opera: operare $T^2$

47 contentum esse corpus tuum: corpus tuum contentum esse *P* || non debes: nos debes *R* || aquam dicas: aquam dicis>dicas *A* || assuefacere te: te assuefacere *L* || deinde: demon

---

non parvum periculum: μέγας γὰρ ὁ κίνδυνος.
quod: ὅ—ἅ Pd Pg.
aliquid te coepisse proficere: ὅτι ἄρχῃ τοῦ ἔργου—ἄρχεις Arg Pb Pe Pf Pg.
non herbas . . . ferunt: οὐ χόρτον φέροντα—οὐ τὸν χόρτον ἐξεμέσαντα *maluit Vptonus et sic Politianus, Simpliciano commentario fortasse fretus, reddidit: " non herbam evomentes."*
quae didicisti: *Haec sive interpretationis seu sermonis explendi causa Perottus adiecit.*

47 noli opportunitatem quaerere: μήδ' ἐκ πάσης ἀφορμῆς.
bibere te aquam: ὅτι ὕδωρ πίνεις—πίνῃς Pa πίνω *Haf. et in contextu ab Vptono et Villebrunio receptum; Politianus: " dic, 'Aquam bibo.' " Post haec Vptonus in contextum e Simpliciano commentario verba nonnulla transtulit, quae sic Latine reddere possumus: " Sed primum considera quanto nobis abstinentiores sint mendici, quantoque laborum tolerantiores." Similia apud Politianum.*
perferendis laboribus: πρὸς πόνον *omnes*—καὶ καρτερίαν *e commentario, invitis codicibus, adiecit Vptonus, Politiani etiam versione fortasse fretus.*

te volueris, fac tibi ipsi, non ceteris, videri studeas. Cum valde sities, aqua frigida buccam perluas, deinde exspuas, et id nemini dicas.

**48,1** Vulgarium status atque conditio numquam a se ipso vel commodum aliquod exspectat vel incommodum, sed ab exterioribus. Philosophi vero status atque conditio omne commodum, omne incommodum a se ipso exspectat. **48,2** Proficientis argumentum est cum neminem increpat, neminem laudat, neminem accusat, nemini detrahit, nihil de se loquitur quasi esset aliquid aut aliquid sciret. Cum impedimenti quicquam habuerit, se ipsum culpat; si quis eum

---

*R* || nemini dicas: nemini unquam dixeris *L*

**48,1** conditio: condictio>conditio *F* condictio *AHBN* condicio *MPT Conditionem non idem esse ac condicionem mihi persuasit Ernout, Revue de Philologie, Vol. XXIII (1949), pp. 107-19. Perottus vero haec vocabula internoscere voluit; cf. Cornucopiae: " A ' condo ' conditio dicitur quando scribitur sine* c, *quae est dispositio quaedam et veluti fors fortunarum, temporum, rerum. . . . Quando vero cum* c *scribitur condictio, non a ' condo ' sed a ' condico ' derivatur." Locos autem e scriptoribus confuse profert.* || commodum: comidum *R* || vero status: status *AMPT*

**48,2** nemini detrahit: neminem detrahit *W* || eum laudet: eum laudat *HTBN* || deridet:

---

videri studeas: *Post haec codices omnes habent* μὴ τοὺς ἀνδριάντας περιλάμβανε. *Hunc locum, quem satis esse difficilem intellectu fateberis, nisi memoria tenueris ea, quae de Diogene illo Cynico apud Diogenem Laërtium (VI, 23) traduntur, interpres noster fortasse praetermisit cum frustra inquisivisset quam ob rem Epictetus nos, tamquam Pygmalionis aemulatores, monendos statuisset ne statuas amplecteremur. Neque quid his verbis Epictetus significare voluisset, satis intellexit Simplicius, quem secutus est Politianus cum sic redderet: " ut qui vim patientes a potentioribus, quo populum convocent, statuas inscendunt et se vim pati clamant."*

**48,1** status atque conditio: στάσις καὶ χαρακτήρ.

exspectat: προσδοκᾷ—προσδοκᾶν Dresd. Ed. Ven., *et codex quo usus est Politianus, qui sic reddidit: " Ineruditi status et formula est, nunquam a se ipso expectare utilitatem aut nocumentum."*

**48,2** quasi esset aliquid: ὡς ὄντος τινός. *Pronomen tamquam neutro genere positum accepit Perottus.*

cum impedimenti quicquam habuerit: ὅταν ἐμποδισθῇ τι, ἢ κωλυθῇ. *Rectius Politianus: " Quum in re quapiam aut impeditur aut prohibetur."*

laudet, deridet laudantem ipse apud se ipsum; si quis ei detrahat, non defendit se, non innocentiam suam tuetur. Ambulat ut aegroti solent, veritus ne quid moveat ex iis quae constituta sunt antequam recte firmentur et tamquam radices faciant. **48,3** Appetitum omnem a se removit, declinationem ad ea transtulit quae, cum sint

---

deritem *R* ‖ ei detrahat: ei detrahit *HBN* eidem detrahit *L* ‖ veritus: uiritas *P* ueritas *MT*[1] ‖ ex iis: ex his *WLHMTBN*

**48,3** a se removit: remouit a se *P* ‖ quae cum sint: quae sint *L* quae cum sine *N* ‖

---

non defendit se, non innocentiam suam tuetur: οὐκ ἀπολογεῖται.

quae constituta sunt: καθισταμένων *codices omnes, sed confer quae adnotavit Schweighaeuser:* " καθεστώτων, *nescio unde arreptum, primum in Ed. Ven. 2. comparet. . . . Nec id per se male habet.* τὰ καθεστῶτα κινεῖν *est* ' *praesentem rerum statum . . . movere.*' " *Codice Perottini simili usus est Victor Trincavellus, qui alteram Venetam editionem curavit. Cum nullius codicis lectione hoc loco congruit versio Politiani:* " *quae sunt in se.*"

antequam recte firmentur: πρὶν πῆξιν λαβεῖν. *Periodum ita claudunt codices omnes. Eadem legit Politianus:* " *priusquam ad soliditatem perveniat.*"

et tamquam radices faciant: *Vnde haec sumpserit Perottus, miror. Epicteti sententiam iam satis bene interpretatus erat, nec haec e commentario sumere potuit, quippe cum Simplicius hanc sententiam non nisi breviter et oblique perstrinxisset (318b:* τὸ δὲ, ὡς ἐχθρὸν ἑαυτὸν παραφυλάττειν, εἴρηται διὰ τὸ ὑποπτεύειν ἑαυτοῦ τὴν μήπω πεπηγυῖαν ἕξιν*). Accedit vero quod interpres noster adeo barbarice scripsit ut haud facile quid voluerit ex verbis colligere possis. Fateor me diu incertum haesisse, utrum haec verba cum superioribus coniugenda essent an cum sequentibus, ita ut intelligendum esset*: ' Quemadmodum radices nil appetunt et eo quod adest nutrimento placide utuntur, sic homo qui proficere coepit appetitum omnem a se removit.' *Sed re anxius deliberata, mihi visum est illa verba priori ascribere periodo, ita ut haec fere dicantur*: ' antequam ea (*quae sanantur*) radices egerint (*sive* ceperint),' *qua translatione audaciore vero et ineptissima interpres nil voluerit significare novi, itaque ea tantummodo iteraverit quae iam multo lucidius dixerat*: ' antequam recte firmentur.'

**48,3** Appetitum . . . declinationem . . . appetitione: ὄρεξιν . . . ἔκκλισιν . . . ὁρμῇ. *Cf. 1,1.*

in nobis, praeter naturam sunt. Remissa appetitione ad omnia utitur. Si stolidus aut rerum ignarus videatur, nihili pendit, et, ut semel finiam, tamquam ab inimico atque insidiatore, a se ipso cavet.

49 Cum quispiam idcirco gloriatur, quod intelligere Chrysippi libros eosque exponere valeat, fac ita apud te dicas: " Nisi Chrysippus subobscurius scriptitasset, nihil haberet hic noster quo gloriaretur." Ego vero quid volo? Nosse naturam et hanc sequi. Quaero igitur quis est qui naturam exponat. Si mihi respondeatur " Chrysippus," ad eum profecto me conferam. At non intelligo quae apud illum scripta sunt. Quaero huius expositorem. Hactenus nihil grande, nihil splendidum feci; cum expositorem compertum habuero, supererit ut praeceptis utar: hoc vel unum dumtaxat grande est. Quod si tantummodo expositorem fuero admiratus, quid aliud utilitatis carpsi, nisi quod pro philosopho grammaticus factus sum—praeter-

---

rerum ignarus: ingratus rerum *R* ‖ videatur *om.* *N* ‖ nihili pendit: nihil pendit *WLR* in philo pendit *A* ‖ inimico atque: inimico et *L* ‖ insidiatore: indiatore *R*

49 Chrysippi: Chrisippi *AR* Chrysipi *W* Crisippi *MPT* ‖ scriptitasset: scripsisset *W* ‖ nihil haberet: nihil habere *W* ‖ quid volo: quidem volo *A* ‖ nosse: nosce *PM* ‖ praeceptis: preceptis eius $T^2$ preptis *R* ‖ tantummodo: tantum *P* ‖ praeterquam quod: preterquam *L*

---

ut semel finiam: ἑνί τε λόγῳ.

49 fac . . . apud te dicas: λέγε αὐτὸς πρὸς ἑαυτόν Arg Pa Pg—λέγει Pi Ed. Ven. σεαυτόν Pb Pc Pd Pe Pf Pi Ed. Ven. *Politianus codice Venetae editionis simili usus est: " dicat ipse secum, ' Nisi operte Chrysippus scripsisset, nequaquam haberem unde gloriarer.' " (In apodosi vero codices omnes* οὐδὲν ἂν εἶχεν οὗτος *exhibent. Politianus igitur, cum orationem rectam pro obliqua perverse haberet, Graeca male intellexit; in versione autem obliquam rursus in rectam mutavit.)*

subobscurius: ἀσαφῶς—σαφῶς Pi Ed. Ven.

scriptitasset: ἐγεγράφει.

si mihi respondeatur . . . me conferam: καὶ ἀκούσας . . . ἔρχομαι *omnes.*

nihil grande, nihil splendidum feci: οὔπω σεμνὸν οὐδέν.

expositorem fuero admiratus: τὸ ἐξηγεῖσθαι θαυμάσω *omnes praeter* Arg Pb Pe Ed. Ven., *qui articulum tantum ignorant. Apud Simplicium autem legimus* τὸν ἐξηγούμενον.

quid aliud utilitatis carpsi: τί ἄλλο.

quam quod pro Homero Chrysippum expono? Cum itaque a me quispiam petat ut Chrysippum legam, pudet me profecto imbecillitatis meae, quod similia ac respondentia verbis opera ostendere nequeam.

**50** Quaecumque tibi proponuntur, in iis, tamquam intra certas leges, maneas oportet, velut impius futurus si quippiam eorum transgressus fueris. Quicquid de te alius dicat contemne: id namque non est tuum.

**51,1** In quod tandem tempus differs ut optimis te ac praestantissimis moribus instruas, nullisque in rebus rectam rationem transcendas? Iam decreta philosophiae quae tibi necessaria erant accepisti.

---

|| verbis: vobis *L* || ostendere: ostendetur>ostendere *A*

**50** in iis: in is *M* in his *HPTBN* in ij *R* || velut: uelit *BN* || transgressus: transgressurus> transgressus *F* transgressurus *AMPT*

**51,1** In quod: in quid *MPT* || optimis te ac praestantissimis: optimis te at prestantissimis *AP* optimis ac te praestantissimis *N* optimus te ac prestantissimus *WR* || instruas: instruis *R* || rectam: in rectam *R* || transcendas: transcendans>transcendens *A* || adultus

---

quispiam petat, ut Chrysippum legam: *τις εἴπῃ μοι, Ἐπανάγνωθί μοι Χρύσιππον.*

pudet me profecto imbecillitatis meae: *ἐρυθριῶ.*

**50** Quaecumque tibi proponuntur: *ὅσα προτίθεται—προτίθεσαι aut προτέθεισαι, quod apud Paraphrasten legitur, maluit Schweighaeuser et forsitan in codice suo Politianus legerit, quo verteret: "In proposito perseverandum."*

tamquam intra certas leges: *ὡς νόμοις.*

contemne: *μὴ ἐπιστρέφου.*

**51,1** ut optimis te ac praestantissimis moribus instruas: *τὸ τῶν βελτίστων ἀξιοῦν σεαυτόν.*

rectam rationem: *τὸν διαιροῦντα λόγον.*

decreta philosophiae: *θεωρήματα.*

quae tibi necessaria erant: *οἷς ἔδει σε συμβάλλειν, id est,* 'quibus adsentiri debebas'; *de verborum significatione, vide quae Schweighaeuser ad locum adnotavit. Totum locum Politianus, nonnulla e Commentario sumens, praetermisit.*

accepisti: *Nescio quam ob causam Perottus Latine vertere noluerit verba καὶ συμβέβληκας* ('iisque adsensus es'), *quae habent codices omnes praeter* Arg Pb Pe, *qui συμβέβηκας perperam exhibent.*

Quem demum praeceptorem exspectas? Quid tui emendationem differs? Infantiae annos excessisti; iam adultus es. Si nunc contempseris ac rem in longum protraxeris, et diem ex die terminaveris posteaquam tui curam suscipere voles, nihil certe proficies, sed vulgaris prorsus vivens mortuusque habeberis. **51,2** Iamiam igitur

---

es: adultus *BN* || posteaquam: postquam *R* || voles: uolueris *MPT*[1] nolueris *T*[2] || nihil certe: nihil recte *MPT* || proficies: perficies *M* || mortuusque: modo tuus *R* || habeberis: haberis *H*

---

Quid . . . differs: ἵνα εἰς ἐκεῖνον ὑπερθῇ. *Num eadem in codice suo legit Perottus?*

adultus: ἀνὴρ ἤδη τέλειος.

contempseris: ἀμελήσῃς καὶ ῥᾳθυμήσῃς (‘neglexeris cessaverisque’). *Alterum verbum (cf. 52,2) e codice Perottino fortasse exciderat.*

rem in longum protraxeris: ἀεὶ προθέσεις ἐκ προθέσεως ποιῇ. *Sic legendum statuit Schweighaeuser, cuius adnotationes ad locum vide. Codices Nili vero et* Pa (*necnon* Vhab Vpab) *habent* προθέσεις ἐκ προθέσεως—ὑπερθέσεις ἐξ ὑπερθέσεως (*vel* ὑπερθέσεων) Arg Pb Pc Pf Pg; *utramque scripturam exhibet* Pg, *in quo procul dubio duorum codicum lectiones in unam rediguntur. Nihil certi de Perottino codice ex versione colligere possumus; si vero Perottus* προθέσεις *e.q.s. in codice suo invenit, Simplicium adiit, qui (323c) Epicteti sententiam sic interpretatur:* προθεσμίας ἐκ προθεσμιῶν ποιῇ. *Schweighaeuser, cum sibi persuasum haberet* πρόθεσις, *quod vocabulum apud Stoicos* ‘propositum’ *significat, idem fere ac* ὑπέρθεσις, *id est* ‘mora’ *vel* ‘prorogatio,’ *valere posse, illud in contextum recepit ut difficiliorem, quae vocatur, lectionem tueretur. Eidem scripturae Henricus Schenkl et Gulielmus Oldfather suffragati sunt. Vereor autem ne hoc loco viri illi doctissimi optimeque de Epicteto meriti lectionis difficultati potius quam veritati studuerint. Num veri simile cuiquam videri potest id quod, hac scriptura in contextum recepta, nobis tacite tradunt, Epictetum scilicet, philosophum ab omni verborum fuco alienissimum, qui certe in omnibus sermonibus operam dare videtur ut quid sentiat expedite atque aperte declaret, verbum apud Stoicos suos frequens, quod in unam tantum sententiam a philosophis accipiebatur, in insolitam atque inauditam significationem detorsisse? Accedit quod Schweighaeuser ex omnibus Graecorum scriptis nil auctoritatis ad suam interpretationem fulciendam conquirere potuit, nisi ex Suida (qui dicitur), apud quem, s. v.* πρόθεσις, *haec invenit verba:* σημαίνει δὲ καὶ προθεσμίαν. *Si haec vero scrip-*

dare operam debes ut bene perfecteque vivas. Quicquid optimum videbitur, sit tibi lex firma stabilisque. Si quid autem laboriosum vel delectabile vel honorificum vel e contrario ignominiosum offeretur, memento adesse iam certamen, adesse quibus te exerceas Olympia, non esse amplius differendum. **51,3** Sic Socrates ad summum

---

**51,2** sit tibi: si tibi *N* || delectabile vel: delectabileue *P* || offeretur: offertur *T²R* || memento: momento *A* || iam certamen adesse *om. BN*—adesse *om. MPT* || exerceas: exerceas et *MT* || non esse amplius: non adesse amplius *AMPTW* || differendum: deferendum *P*

---

*sisset vir doctus qui Suidae quod vocatur lexicon concinnavit, quaerendum esset unde ille ea deprompserit, sed doctorum consensu nunc constat ea verba ab aliquo interpolatore in lexicon illata esse. Quantum in hac re auctoritatis velint ignoto ac tardissimae aetatis interpolatori tribuere, viderint docti. Mea quidem sententia, facilior et lucidior lectio* (ὑπερθέσεις *e.q.s.) est nobis hoc loco in contextum revocanda.*

nihil certe proficies: λήσεις σεαυτὸν οὐ προκόψας, *id est* 'non animadvertes te nihil profecisse.' *Pro his quattuor autem Perottus in codice suo duo tantum vocabula invenit,* οὐ προκόψεις, *quae habuit codex e quo Haloander editionem suam anno 1529 deprompsit.*

vulgaris . . . habeberis: ἀλλ' ἰδιώτης διατελέσεις—" ὡς *inter lineas addit* Pg, *ut fit* ἀλλ' ὡς ἰδιώτης." *Interpres noster, qui certe Graecae linguae non adeo rudis erat ut simplex verbum* διατελεῖν *idem ac* 'videri' *aut* 'haberi' *valere putaret, particulam* ὡς *in suo codice legisse videtur.*

51,2 dare operam debes: ἀξίωσον.

ut bene perfecteque vivas: βιοῦν ὡς τέλειον καὶ προκόπτοντα.

firma stabilisque: ἀπαράβατος.

e contrario: *Adiecit interpres.*

quibus te exerceas: *Verba interpretationis causa adiecta.*

differendum. *Post hoc Schweighaeuser, Simpliciano commentario fretus, sic scribendum statuit:* καὶ ὅτι παρὰ μίαν ἡμέραν καὶ ἓν πρᾶγμα καὶ ἀπόλλυται προκοπή, καὶ σῴζεται. *Codices omnes hoc in loco, quamquam inter se levioribus in rebus dissentiunt ac varias proferunt lectiones, quas apud Schweighaeuserum singillatim descriptas invenies, verba Graeca habent, quae hoc prorsus modo Latine reddenda sunt:* " *memento . . . non esse amplius differendum,* et profectum tuum una clade ac remissione virium vel perire vel servari." *Sed, ut monuit Schweighaeuser, animi profectum vel constantiam una virium remissione perdere sane possumus, sed nullo*

pervenit, omnibus in rebus exercitus ac nulli alii rei adhaerens quam rationi. Tu vero, etsi nondum Socrates sis, ita tamen vivere debes quasi velis esse Socrates.

**52,1** Primus maximeque necessarius in philosophia locus est dogmatum usus, utputa non esse mentiendum. Secundus, demonstratio, id est qua probandum sit mentiendum non esse. Tertius, qui de demonstratione disserit, utputa qua ratione hanc esse demon-

---

**51,3** exercitus: exercitatus *L* || ac nulli alii rei adhaerens quam rationi *om.* *L* || etsi nondum: quasi nondum *A* quamuis nondum *MPT*

**52,1** maximeque: maxime *L* || non esse mentiendum: non est mentiendum *AMPT* || secundus: secundo *R* || mentiendum non esse: non esse mentiendum *L* || tertius: tertio *R* || demonstratione: demostratio *R* || disserit: dixerit *MPT*

---

*modo servare; qua re verba, quae codices exhibent, aliquo modo reformanda sunt, nisi verbum* ἧττα, *quod proprie cladem sive proelium adversum significat, hoc in loco insolite pro* ' victoria ' *positum existimes.* " *Est hic locus,*" *inquit vir doctus,* " *e difficilioribus, in quo, quid consilii capias, certam rationem vix invenias.*" *Hunc locum Perottus ob nimiam fortasse interpretationis difficultatem praetermisit.*

**51,3** ad summum pervenit: ἀπετελέσθη. *Nullo in codice inveniuntur verba respondentia eis quae Politianus, qui ultimis in Enchiridii capitibus pauca tantum quaedam e Commentario carptim deprompta proferebat, hîc posuit:* " *Hoc igitur pacto Socrates virorum omnium sapientissimus evasit.*"

omnibus in rebus exercitus: ἐπὶ πάντων τῶν προσαγομένων αὐτῷ *scripsit Meibomius, probavit Schweighaeuser.*—ἐπὶ πάντων προσάγων ἑαυτόν codices *plerique, quibuscum Perottina versio congruit.*

adhaerens: προσέχων—προσέχειν Pd.

**52,1** dogmatum: θεωρημάτων—δογμάτων Arg Pa Pb Pc Pe Pf Pg. *Deteriorem lectionem ante oculos Perottus habuit, nempe ubique* θεωρήματα *legerat, ibidem in versione* ' decreta philosophiae ' *(51,1) vel* ' praeceptum philosophiae ' *(46,1 & 2) scripsit.*

qui de demonstratione disserit: ὁ αὐτῶν τούτων βεβαιωτικὸς καὶ διαρθρωτικός—διαριθμητικός Arg Pb Pe. *Adeo licenter vertit interpres noster, ut quid in codice legerit, comperire non possimus.*

hanc esse demonstrationem: ὅτι τοῦτο ἀπόδειξις—τοῦτο *om.* Arg. ἀποδείξεις Arg Pb Pc Pf. *Sequuntur vero omnibus in codicibus, praeter* Pd *et* Pg, *verba* τί γάρ ἐστιν ἀπόδειξις; *vel similia. Hîc iterum codicem Perottinum cum* Pg *consentire videmus.*

strationem intelligamus, quid consequentia sit, quid oppositio, quid verum, quid falsum. **52,2** Quamobrem tertius quidem locus propter secundum necessarius est; secundus vero, propter primum; maxime autem necessarius et ubi quiescere decet primus est. Verum enimvero nos e contrario facimus, nam tertio loco penitus immoramur nostrumque omne studium dumtaxat in eo consumimus; primum vero contemnimus. Idcirco nobis accidit ut mentiamur quidem, at quomodo demonstrandum sit non esse mentiendum in promptu habeamus.

**53,1** Omnibus in rebus haec habenda sunt in promptu: " Eia, duc me, O Iuppiter, et vos, Fata, ad locum quem mihi statuistis. Sequar equidem impiger. Nam si depravatus sequi nolim, nihilominus sequar." **53,2** " Quicumque vero necessitati libens cedit

---

**52,2** locus propter: locus est propter *L* || autem necessarius: autem est necessarius *M* autem necessarius est *R* || primus est *om. BN*—est *om. R* || habeamus: habemus *R*

**53,1** *Notissimum Cleanthis carmen.* Eia: ea *M* eihal *L* || Nam si depravatus sequi nolim nihilominus sequar *om. N*

---

**52,2** quamobrem: οὐκοῦν *omnes praeter* Pa, *qui* οὐ *habet.*
verum enim vero: δέ.
consumimus: ἐστι.
contemnimus: ἀμελοῦμεν, *quod verbum, ut saepe, interpres parum diligenter vertit.*
nobis accidit ut mentiamur: ψευδόμεθα.
quomodo demonstrandum sit: πῶς δὲ ἀποδείκνυται Pa Pd Pf Ed. Ven.—πῶς δὲ δεῖ ἀποδεικνύναι Arg Pb Pe Pg *et codex Perottinus.*

**53,1** habenda sunt: ἑκτέον Pd—εὐκτέον Arg Ax Pb Pc Pe Pg Pi εὐκταῖον > εὐκτέον Pa. *Notandum est codicem Perottinum hoc in loco, ubi codices plerique corruptelas exhibent, veram scripturam servasse.*
eia: *Adiecit Perottus, nisi particulam* δή, *quae perperam omnibus in codicibus pro* δέ *post* ἄγου *legitur, sic vertendam censuerit.*
et vos, Fata: καὶ σύ γ' ἡ Πεπρωμένη.

**53,2** libens: καλῶς—κακῶς Arg Ax Pb Pe ἑκών Pg, *quocum codex, quo usus est Perottus, congruit. Totam sententiam e Commentario Politianus sumpsit, apud quem haec invenimus: " Necessitas omnia sursum versus ad divinam causam ducit, volentia et invita. Eam qui laetus sequitur, is vere est sapiens."*

eique nulla ex parte repugnat, is merito a nobis et sapiens et rerum divinarum peritissimus iudicatur."

**53,3** "Sed, O Criton, si haec diis placent, ita fiat." **53,4** "Me vero Anytus et Melitus interficere quidem possunt, nocere vero mihi minime possunt."

FINIT

---

**53,2**. *Euripidis frag. 965.* is merito: hiis>is merito *A* his merito *PMR* ‖ nobis: uobis $T^2$
**53,3**. *Crit. 43d.* HIC LOCVS EX PLATONE SVMPTVS EST *FVWHT* . . . SVMPTVS *A*
**53,4** *Cf. Apol. 30c.* quidem possunt: quidem *R* ‖ vero mihi: vero *L*
*Subscriptio deest in MB.* Finit: Finis *L* Finit Epitetus feliciter *P* Explicit Nicolai perotti traductio sermonum epicteti philosophi *H* finit feliciter *T* Finit Αμιν *W* Finis amen laus deo *R* Τελοσ *N*

---

eique nulla ex parte repugnat: *Adiecit Perottus, fortasse ex Simpliciano commentario, ubi (330a) legimus:* καὶ μὴ ἀντιτείνων.
merito: *Adiecit interpres.*
rerum divinarum peritissimus iudicatur: τὰ θεῖ' ἐπίσταται.
**53,3** Sed, O Criton: 'Αλλ', ὦ Κρίτων Pa Pg—'Αλλ' ὡς κρείττων Arg Pe ἀλλὰ καὶ τὸ τρίτον· Ὦ Κρίτων *reliqui omnes. Codex Perottinus, cum* Pa *et* Pg *iterum consentiens, veram scripturam servavit.*

*Nobis hîc finem brevium nostrarum adnotationum facientibus operae pretium videtur hoc loco repetere ea, quae Simplicius ad commentarii sui calcem posuit, quaeque non aliena ab iis, quae supra (p. 27) de Perottinae versionis fortuna diximus, videntur:* Ταῦτα εἶχον τοῖς τὰ 'Επικτήτου μεταχειριζομένοις πρὸς σαφήνειαν τῶν εἰρημένων συμβαλέσθαι κατὰ δύναμιν· εὐχαριστῶν καὶ αὐτὸς τῇ προφάσει τῆς περὶ τοὺς τοιούτους λόγους διατριβῆς, ἐν προσήκοντι καιρῷ μοι γινομένῃ τυραννικῆς περιστάσεως.

## ELENCHVS NICOLAI PEROTTI OPERVM

Operae pretium mihi est visum huic libello adiungere elenchum sive indicem ordine digestum et in capita distinctum quo enumerentur ea opera quae Perottus scripsit quaeve scripsisse fertur. Hunc enim, quem adfero, eo tempore quo me primum ad Enchiridium recensendum edendumque accingebam, cum diu apud alios huiusmodi indicem frustra quaesivissem, ipse confeci ut mihi compertum haberem quos libros Perottus scripsisset, qui eius nomini falso addicerentur, qui periissent, qui codicibus tantum manuscriptis asservarentur, qui iam typis descripti essent. Non autem mihi propositum erat ut codices Perottinos, quotquot in terris exstarent, omnes exquirerem. Arbitratus enim me editoris officio satis esse facturum, si de libris non mihi edendis pauca tantum referrem, eos dumtaxat codices in elenchum rettuli de quibus aliquid certi ex libris qui mihi Vrbanae Illinorum aetatem degenti praesto erant compereram. Elenchum autem, quem spero et aliis fortasse usui fore, publici iuris faciendum existimo, sed ea lege ut viri docti, quibus codices manuscripti librive typis descripti a me praetermissi innotuerint, indicem placide suppleant, corrigant, reforment, neve mihi succenseant quod imperfectum reliqui id quod mihi equidem nec licuit nec libuit omnibus numeris absolvere.

Libri quos saepius adhibebo, nomine tantum scriptoris prolato, hi sunt:

Leonis ALLATII *Apes Vrbanae,* sive De viris illustribus. Romae, 1633.

Iohannis FABRICII *Bibliotheca Latina mediae et infimae aetatis,* editio prima Italica a P. Ioanne Dominico Mansi correcta, Patavii, 1754, Vol. V.

*Bibliotheca* instituta et collecta primum a Conrado GESNERO, deinde in epitomen redacta et novorum librorum accessione locupletata, *etc.* Tiguri, 1583.

*Bibliotheca Vmbriae,* sive De scriptoribus Provinciae Vmbriae, alphabetico ordine digesta, auctore Ludovico IACOBILLO. Volumen Primum, Fulginiae, 1658.

*Codex Perottinus MS.,* digestus et editus a Cataldo IANNELLIO. Neapoli, 1809.

*Per la cronologia della vita e degli scritti di Niccolò Perotti,* ricerche di Mons. Giovanni MERCATI. Roma, 1925.

*Aus Bessarions Gelehrtenkreis,* Abhandlungen, Reden, Briefe herausgegeben von L. MOHLER. Paderborn, 1942.

*Dissertazioni Vossiane* di Apostolo ZENO. Tomo Primo, in Venezia, 1752.

# I

## OPERA SCRIPTORVM GRAECORVM QVAE PEROTTVS LATINE REDDIDIT AVT REDDIDISSE DICITVR NECNON IPSIVS PRAEFATIONES SEV PROOEMIA

ARCHIMEDIS opuscula quaedam (?). c. 1454?

Perottum aliquod Archimedis opusculum Latine reddidisse tradit Mercatius (p. 37). Vereor autem ne vir ille doctissimus aliquo errore falsus sit. Perottus vero in epistula a.d. VII Id. Ian. 1454 ad Tortellium data "Promisit" inquit "mihi . . . Sanctissimus Dominus Noster . . . se missurum ad me Archimedem Graecum *et Latinum,*" nil autem addidit unde colligere possis quo consilio librum a pontifice petiisset.

[Pseudo-] ARISTOTELIS De virtutibus et vitiis. 1474.

*Incipit*: "Quicquid honestum est laudabile est; quicquid turpe, vituperabile. . . ."

MSS.: Vaticani Latini 6968, 6526.

ED.: Laurentius Abstemius una cum Aristotelis *Oeconomicorum* libris a Leonardo Arretino Latine redditis etc., Fani, 1504. (Huius libelli exemplar Florentiae in Bibliotheca Publica invenies, vix alibi.)

> Prooemium ad Federicum Feltrium Vrbini Ducem.
>
> *Incipit*: "Tanta est summa tuorum erga me meritorum, Federice princeps. . . ."
>
> MS. (praeter eos quos modo commemoravi): Bonon. 1546 (2948) = P. A. Tioli, *Miscellanee erudite,* Vol. XXIV, pp. 251-54.
>
> ED.: In libello ab Abstemio edito, quem modo memoravi, decurtatum legitur prooemium, quod ita incipit: "Quom nuper quosdam libellos meos evolverem. . . ."

ARISTIDIS monodia in Smyrnae deploratione [= xx; ed. Dindorf, I, p. 424]. 1472.

MSS.: Vaticani Latini 6835, 8086, 8750, 6526.

In Aristidis, Libanii et Bessarionis monodias prooemium ad Petrum Foscarum.

*Incipit*: " Soleo mecum saepenumero admirari Bessarionis nostri non modo ingenium. . . ."

MS. (praeter eos quos modo commemoravi) : Bonon. 1546 (2948) = P. A. Tioli, *Miscellanee erudite*, Vol. XXIV, pp. 191-240.

ED.: Mercatius, pp. 151-55.

ARRIANI [Anabasis Alexandri]. c. 1454.

Perottus in litteris ad Tortellium a.d. VII Id. Ian. 1454 datis " Sanctissimus " ait " Dominus Noster dedit mihi Arrianum traducendum, quod opus summa cum diligentia prosequor. . . . Legent aliquando nostri homines Quintum Curtium perfectum atque integrum; verum quia liber quem mihi Sanctitas Sua dedit est in multis locis corruptus et deficiunt interim multa, esset mihi gratum ut dominus vester mitteret ad me traductionem illam Arriani ineptam quam . . . habet." Opus autem Perottus numquam absolvisse videtur. Arriani enim libros de Alexandri expeditione ante annis fere viginti (scilicet post 1432, ante 1438) Petrus Paulus Vergerius, vir sane non indoctus, Latino sermone interpretatus erat, neque inepte quidem, quamquam ille in prooemio se " plano ac paene vulgari stilo " scripsisse profitetur.

BASILII Oratio de invidia [= Homilia XI; Migne, *Patrol. Graec.* tom. XXXI, col. 371 sqq.]. 1449.

*Incipit*: " Bonus est deus et bonorum merentibus largitor. . . ."

MSS.: Vrbin. Lat. 297; Riccard. 907 (N.III.16); Oliver. 1958; Basileen. E. III. 15; Monac. Lat. 919; Berolin. Lat. 4° 430; Norimberg. (nescio quo numero designatus); Harleian. 4923; Cantabrig. (in academia Divi Iohannis) 61 (C. 11).

ED.: Philippus Beroaldus una cum Censorini *De die natali* libello etc., s.l. & a. (= Hain 4846), Bononiae, 1497 (= Hain 4847, Pellechet 3471), [Venetiis, 1500] (= H. 4848, P. 3470?); Tristanus Calchus Mediolanensis, s.l., 1503.

Prooemium ad Nicolaum V. Pont. Max.

*Incipit*: " Contemplanti mihi saepenumero, Summe Pontifex, virtutes vitiaque mortalium. . . ."

MSS.: omnes, ni fallor, quos modo commemoravi.

ED.: Wilmanns et Bertalot, *Archiv. Rom.* Vol. VII (1923), pp. 506 sqq.

BESSARIONIS epistola ad Boncontem [Federici, Vrbini ducis, filium]. 1456.

*Incipit*: "Dici non facile posset quantam nobis voluptatem attulerunt litterae tuae. . . ."

MS.: Vat. Lat. 6847.

ED.: Mohler, pp. 648 sq.

——— In calumniatorem Platonis libri IV = Defensio Platonis (?). 1469.

Hoc opus a Bessarione Graece scriptum, Perottus maxima ex parte, ni fallor, Latine reddidit; alioqui nec versus nonnullos ex hoc libro sumptos suis annumeravisset nec in epistula "ad Bessarionem in laudem eius libri" de libris quos Bessario "in calumniatorem Platonis" Graece scripserat siluisset. Bessario vero his in libris, quos Graece eo consilio scripsit ut eos diligentiā atque operā alicuius amici clientisve Latine redditos pro suis a se Latine scriptis divulgaret, multos e Graecis scriptoribus adfert locos, quos omnes nimirum in Latinum versos in Latina versione invenies. Horum locorum nonnullos e carminibus Homeri, Melissi, Parmenidis, Solonis, Diogenis Laërtii sumptos Perottus procul dubio Latine reddidit, si iure versiones ut suas in *Epitome fabellarum* protulit. (Alias fortasse Graecorum carminum versiones, quae passim in eisdem libris leguntur, sibi pariter vindicavisset, si *Epitomen* absolvisset.) Nisi forte Perottum alienos versus surripere voluisse putas, manifestum est eum nonnihil operae in libros Bessarionis vertendos impendisse; haud dubium igitur est eum omnia fere quae in litteris pridie Idus Novembres anno 1469 datis traderet eo consilio commentum esse ut aequalibus, si qua oriretur suspicio, persuaderet Bessarionem Latine scripsisse. Vtrum Perottus aliquot veterum scriptorum locos carptim et insolenter e Bessarionis libris selegerit an integros libros in Latinum sermonem continenter converterit, certis rationibus statuere haud possumus; utrum hoc an illud magis sit simile veri, vix dubitabis. Cf. ea quae de hac re in praefatione (n. 69) disputavi.

ED.: Romae [1469]; Venetiis, 1503; Venetiis, 1516; L. Mohler una cum textu Graeco, Paderbornae, 1927.

——— Monodia in obitu Manuelis Palaeologi imperatoris. 1472.

*Incipit*: "Si flere etiam aliquando fas est, et amaram societatem constituere. . . ."

MSS.: Vaticani Latini 6835, 8086, 8750, 6526.

ED.: Migne, *Patrol. Graec.*, tom. CLXI, col. 615 sqq.

De prooemio v. s. n. Aristidis.

——— Oratio de laudibus Beati Bessarionis. c. 1456?

*Incipit*: " Omnibus certe, qui secundum Deum vixerunt. . . ."
MSS.: Ambros. R.4 Sup.; Marcian. Lat. 133. (Orationem quem Bessario Graece habuit invenies in Marcian. Gr. 533.)

——— Epigramma [de Iliadis exemplari quo Antonium Montefeltrium donavit].
MS.: Vrbin. Gr. 137.
ED.: C. Stornajolo, *Codices Urbinates Graeci*, p. 257.

[Diogenis Laërtii] Epitaphium Platonis [= Anth. Pal. VII, 109]. 1469?
*Incipit*: " Sol genuit terris Epidaurion atque Platona. . . ."
MSS.: Neap. Seg. IV.F.58; Vrbin. Lat. 368.
ED.: in Bessarionis libris *In calumniatorem Platonis* de quibus modo dixi; Iannellius, p. 265.

Epicteti Enchiridium. 1450.

Hippocratis Iusiurandum. 1453.
*Incipit*: " Testor Apollinem medicum et Aesculapium Hygienque et Panacian, Aesculapii filias. . . ."
MSS.: Vat. Lat. 3027; Oliver. 1958; Senen. 71 (K.VI.70); Vindobon. phil. Lat. 324.
ED.: in Alexandri Benedicti Veronensis *Anatomiae libris V*, Parisiis, 1519, Argenti, 1528; una cum Homeri *Batrachomyomachia*, etc., Basileae, 1518.

Homeri versus de immutabili necessitate mortis [= Z, 488 sq.].
*Incipit*: " Mortalis nemo fugiet decreta sororum. . . ."
MSS.: Neap. Seg. IV.F.58; Vrbin. Lat. 368.
ED.: in Bessarionis libris *In calumniatorem Platonis* (q.v.); *Iannellius*, p. 263.

Libanii Monodia in funere Iuliani imperatoris [= Or. XVII; ed. Foerster, Vol. II, p. 206, cf. p. 204]. 1472.
MSS.: Vaticani Latini 6835, 8750, 6526.
De prooemio v.s.n. Aristidis.

Melissi versus de primo ente [= Parmenidis frag. 8, 3-14, apud Diels, *Frag. der Vorsokrat.*, 1934]. 1469?
*Incipit*: " Ingenitum quando est, sit et immortale necesse. . . ."
De codicibus editionibusque v.s.n. Parmenidis.

Parmenidis versus: (1) de elementis rerum [= Frag. 8, 53-59 Diels],

(2) de ente immobili [= Frag. 8, 26-28], (3) de ente finito [= Frag. 8, 29-33]. 1469?
*Incipiunt*: (1) "Principio duplicem statuerunt dicere formam. . . ." (2) "Immotum validis iniecta a finibus arcet. . . ." (3) "Est et idem per seque manens ens. . . ."
MSS.: Neap. Seg. IV.F.58; Vrbin. Lat. 368.
ED.: in Bessarionis libris *In calumniatorem Platonis* de quibus modo dixi; Iannellius, pp. 264 sq.; Mullachius (qui autem, cum versus Latinos e Bessarionis *In calumniatorem Platonis* libro secundo descripsisset, eos a Bessarione Latine redditos nimirum putavit), *Philosophorum Graecorum fragmenta*, ad Parmenid. 68, 89, 114.

PLATONIS De precatione [= Alcibiades II?].
Bartholomaeus Facius, qui in libro *De viris illustribus* (quem recensuit Laurentius Mehus, Florentiae, 1745, p. 14) breviter diligenterque Perotti scripta enumerat, "eiusdem" ait "est traductio Magni Basilii de invidia, Epicteti Enchiridion, Platonis liber de precatione. . . ."

PLVTARCHI De Alexandri Magni fortuna aut virtute. 1449.
*Incipit*: "Haec Fortunae oratio est proprium ac suum unius opus Alexandrum declarantis. . . .
MSS.: Vrbin. Lat. 297; Ottob. 1507 (? cf. Simar, *Musée belge*, Vol. XIV (1910), p. 190, n. 1); Barber. Lat. 49; Florent. II.vii.125 (in bibliotheca publica); Harleian. 4923; Monac. Lat. 919.

Praefatio ad Nicolaum V. Pont. Max.
*Incipit*: "Maxima, Summe Pontifex, non solum apud maiores nostros sed nostris quoque temporibus. . . ."
MSS.: omnes, ni fallor, quos modo enumeravi.

——— De fortuna Romanorum. c. 1452.
*Incipit*: "Quae multa saepenumero maximaque certamina certaverunt fortuna et virtus. . . ."
MSS.: Vaticani Latini 3027, 6847, 6526; Foroiulien. (Sandaniele) 204; Monac. Lat. 3604; Pragen. 1648 (VIII.H.30); Tridentinus (in museo publico) 3224 (olim Vindobon. phil. Lat. 305).

Praefatio ad Nicolaum V.
*Incipit*: "Memini me, Beatissime Pater, cum nondum pueritiae annos excessissem. . . ."
MS. (praeter eos quos modo commemoravi): Bonon. 1546 (2948) = P. A. Tioli, *Miscellanee erudite*, Vol. XXIV, pp. 255 sqq.
ED.: Sabbadini, *G. S. L. I.*, Vol. L (1907), p. 53.

——— De invidia et odio = De differentia inter odium et invidiam. 1449.

*Incipit*: "Nihil fere ab odio differre invidia sed idem esse plane videtur. . . ."

MSS.: Vrbin. Lat. 297; Riccard. 907 (N.III.16); Basileen. E.III.15; Monac. Lat. 919; Berolin. Lat. 4° 430; Norimberg. (nescio quo numero designatus); Harleian. 4923; Cantabrig. (in academia Divi Iohannis) 61 (C.11); Oliver. 1958; "Florenz Fiesole 145" (sic Bertalot in prooemii editione); "Wyttenbach III.1" (sic Bertalot loc. cit.).

ED. (sine prooemio, nomine quoque interpretis deleto): Philippus Beroaldus una cum Censorini *De die natali* libello etc., s.l. & a. (= Hain 4846), Bononiae, 1497 (= H. 4847), [Venetiis, 1500] (= H. 4848); item Tristanus Calchus Mediolanensis, s.l., 1503; inter Plutarchi *Moralia*, Venetiis, 1532, Basileae, 1541, Basileae, 1553, Basileae, 1554.

Prooemium ad Nicolaum V. Pont. Max.

*Incipit*: "Accipe, Summe Pontifex, et hunc Plutarchi libellum. . . ."

MSS.: omnes, ni fallor, quos modo commemoravi.

ED.: Wilmanns et Bertalot, *Archiv. Rom.*, Vol. VII (1923), p. 507; emendavit Mercatius, p. 35.

POLYBII Historiarum libri quinque [I-V]. 1452-54.

*Incipit*: "Si ab iis qui res gestas ante nos scripserunt laudem historiae praetermissam. . . .

MSS.: Vaticani Latini 1808, 1809, 1810; Vrbin. Lat. 432; Caesen. XII.ii; Valentin. 152; Laurent. LXV. xxxix; de codice anno 1470 descripto, qui Londini anno 1919 £365 veniit, vide *La Bibliofilia*, Vol. XXI (1919), p. 90.

ED.: Romae, 1472 (exemplar Lutetiae Parisiorum in bibliotheca civitatis servatum), Romae, 1473 (= Hain 13246), Brixiae, 1488 (= H. 13247), Venetiis, 1498 (= H. 13248); Franciscus Asulanus ("innumeris . . . depurgavimus erroribus, quo in munere . . . nobis exemplaria Graeca attulerunt opem"), Venetiis, 1518-21, Venetiis, 1520-21; Florentiae, 1522, Basileae, 1530; Vincentius Obsopoeus una cum textu Graeco, Haganoae, 1530; Lugduni, 1542; W. Musculus una cum textu Graeco, Basileae, 1549; Lugduni, 1554, Basileae, 1557, Genevae, 1597, Genevae, 1608.

Prooemium ad Nicolaum V. Pont. Max.

*Incipit*: "Absolvi tandem aliquando delegatum mihi abs te munus. . . ."

MSS.: omnes, ni fallor, quos modo enumeravi.

ED.: in libris qui annis 1521, 1530, 1549 typis descripti sunt; nescio an in reliquis.

PROCLI pars super Enchiridio Epicteti.

Sic Perottus, nescio quo errore deceptus, in scheda quam litteris adiunxit a se ad Tortellium a.d. VII Id. Ian. 1454 datis. Eum de " Simplicii in expositionem Enchiridii praefatione " dicere voluisse existimo. Cf. ea quae in praefatione (n. 80) annotavi.

PTOLEMAEI epigramma [= Anth. Pal. IX, 577]. c. 1452-54.

*Incipit*: (1) " Imperio quamvis subsint mea fata sororum. . . ." (2) " Mortalem vitam perituraque membra dedêre. . . ." (3, " aliter ab Helio [?] Perotto translatum ") " Mortales nati mortalem ducimus auram. . . ."

MSS.: Neap. Seg. IV.F.58; Vrbin. Lat. 368; Vaticani Latini 186, 3027, 6526; Riccard. 907 (N.III.16); Marcian. Graec. 388; Senen. 71 (K.VI.70); Monac. Lat. 19652.

ED.: (1) et (3) Mercatius, p. 26; (2) Iannellius, p. 257.

SIMPLICII In *Politica* Aristotelis.

Tradit Zeno (p. 266) " Simplicium in Polytica [*sic*] Aristotelis " a Perotto Latine redditum esse. Mirum sane fuisset, si Perottus id opus, quod Simplicius numquam scripserat, Latino sermone interpretari potuisset. Quod autem opus Simplicianum Perottus Latine reddiderit, quaero in praefatione pp. 22 sqq.

——— In *Physica* Aristotelis.

Sic D. Georgius in *Vita Nicolai Quinti*, p. 184, qui tamen, ni fallor, temere credidit se haec colligere posse e litteris quas Perottus ad Tortellium prid. Kal. Dec. 1450 dedit.

——— In expositionem Enchiridii praefatio. 1450.

——— In Epicteti Enchiridium commentarius. 1450-54.

Hunc vero commentarium, ni fallor, Perottus vertere incepit; nil autem praeter Simplicii praefationem absolvit. De hac re fusius disputavi pp. 24 sqq.

SOLONIS versus de divitiis et virtute [= Frag. 15 Bergk; frag. 4, 9-12 apud Diehl, *Anth. lyr. Graec.*].

*Incipit*: " Saepe malus dives, saepe et pauperrima virtus. . . ."

MSS.: Neap. Seg. IV.F.58; Vrbin. Lat. 368.

ED.: in Bessarionis libris *In calumniatorem Platonis* (q.v.); Iannellius, pp. 264 sq.; Angelus Maius in *Classicorum auctorum* tom. III, p. 302.

TATIANI Oratio ad Graecos. c. 1451.

Perottus in epistula ad Tortellium a.d. III Kal. Iun. 1451 data " Tatiani " inquit " iam magnam partem in Latinum verti; pergo quantum possum." Eum autem opus numquam absolvisse puto.

THEOGNIDIS versus de fide in seditione servanda [= I, 77-78 apud Diehl, *Anth. lyr. Graec.*].

*Incipit*: " O Cyrne, argento longe praefertur et auro. . . ."
MSS.: Neap. Seg. IV.F.58; Vrbin. Lat. 368.
ED.: Iannellius, p. 263.

[Incerti scriptoris] Oraculum Apollinis de Isthmo. 1463.

Oraculum sane confinxit falsarius nescio quis ut Italos ad bellum Turcicum suscipiendum hortaretur; cf. Iannellium ad loc.; eiusdem *In Perottinum codicem dissertationes*, Neapoli, 1811, §19, et H. Vast, *Le Cardinal Bessarion*, Lutetiae Parisiorum, 1878, p. 223; Σπυρ. Π. Λαμπροῦ " Τὰ τείχη τοῦ ἰσθμοῦ τῆς Κορίνθου " ἐν τῷ Νέου Ἑλληνομνήμονος τόμῳ Β′ (1905), 472 sqq.
*Incipit*: " Sintne futura diu patriaeque datura salutem. . . ."
MSS.: Neap. Seg. IV.F.58; Vrbin. Lat. 368.
ED.: Iannellius, pp. 270-76; cf. Angeli Mai *Classicorum auctorum* tom. III, p. 302.

## II

### SCRIPTORVM LATINORVM OPERA QVAE PEROTTVS RECENSVIT SCHOLIISVE ILLVSTRAVIT

In HORATII Odas commentarius.

Antonius Brunus apud Allatium (p. 247) " Nicolaus " inquit " ille Perottus . . . cuius in Horatii Odas extat Commentarius, de elegantia cum ipsis illis Odis, quas auctor aere perenniores iure appellavit, certantes [*sic*]. . . ." Impudentissimus adulator ita blateravit ut Perotti libellum *De metris Horatianis* (q.v. cap. III), quem numquam sane viderat, laudibus exornaret.

MARTIALIS Epigrammaton libri [plurimis in locis emendati; sine scholiis]. 1473.

ED. (sine emendatoris nomine): Romae, 1473.

——— Epigrammaton libri [cum scholiis et Perotti et, ni fallor, Pomponii Laeti]. 1472-74?
MSS.: Vaticani Latini 6835, 6848.

PHAEDRI et AVIENI fabellarum epitome. 1473-74.
MSS.: Neap. Seg. IV.F.58; Vrbin. Lat. 368.
ED.: Iannellius; Angelus Maius in *Classicorum auctorum* tom. III, pp. 280 sqq.

PLINII Naturalis historiae libri. 1473.
ED. (sine emendatoris nomine): Romae, 1473 (= Hain 13090).

STATII Silvae cum scholiis [usque ad I.v.33]. 1472.
MSS.: Vaticani Latini 6835, 6848.

Prooemium ad Pyrrhum Perottum.
*Incipit*: "Vereor ne qui mihi forte succenseant quod iam et aetate vir et ordine pontifex. . . ."
MS. (praeter Vaticanos quos modo enumeravi): Bonon. 1546 (2948) = Tioli, *Miscellanee erudite*, Vol. XXIV, pp. 259-62.
ED.: Mercatius, pp. 156 sqq.

## III

### OPERA GRAMMATICA

Adversus eos qui temere corrigunt errores veterum librorum = Epistola de Plinii Secundi prooemio, q.v.

Commentarium super Epistolas Plinii et opera Varronis, Vitellii, Festi et Marcellini.
Sic Iacobillus, p. 210, qui oscitans aliquod Cornûscopiae exemplar viderat.

Cornucopiae seu Latinae linguae commentarii. [Pars prior.] 1473-78.
*Incipit*: "BARBARA PYRAMIDVM. Blanditur Domitiano quod amphitheatrum eius. . . ."
MS.: Vrbin. Lat. 301.
ED.: (Cave ne credas A. Pinetti et E. E. Odazio, qui in *Archiv. stor. Lomb.* III, tom. V (1896), p. 372, tradunt hunc librum anno 1479 typis descriptum esse.) Ludovicus Odaxius, Venetiis, 1489 (= Hain 12697); Venetiis, 1490 (= H. 12698); Venetiis, 1490 (= H. 12699); Venetiis, 1492

(= H. 12700); Venetiis, 1494 (= H. 12701); Venetiis, 1494 (= H. 12702); Parisiis, 1496 (= H. 12703); Venetiis, 1496 (= H. 12704); Mediolani sive Venetiis, 1498 (= H. 12705, cf. Reichling); Venetiis, 1499 (= H. 12706); Parisiis, 1500 (= H. 12707); Venetiis, 1501; Parisiis, 1505; Argentinae, 1506; Mediolani, 1507; Venetiis, 1508 (v. *Zeitschrift für Bücherfreunde*, Vol. X (1906-07), p. 483); Venetiis, 1513; Venetiis, 1517; Basileae, 1521; Thusculani, 1522; Basileae, 1526; Venetiis, 1527; Basileae, 1532; Basileae, 1536.

Pyrrhi [= Nicolai!] Perotti in Cornucopiae prooemium ad Federicum Vrbini Ducem. 1478.

*Incipit*: "Moriens olim P. Maro, poëta optimus maximus. . . ." Hoc, ni fallor, invenies in libris omnibus quos modo commemoravi.

Cornûscopiae pars altera. 1478-80?

Perottus vero haec in prioris partis calce profert: "Habes . . . universi operis . . . dimidium. Tot enim ac tanta et tam varia hoc uno libro explicata sunt ut aliquanto minus sit id omne quod superest." Ludovicus Odaxius in praefatione "alteram" inquit "partem, cui proprie continuis vigiliis et lucubrationibus insistebat, ut compertum habeo, morte praeventus absolvere non potuit."

MS.: procul dubio periit.

De componendis epistolis [= aliqua pars libri qui *Rudimenta grammatices* inscribitur].

ED.: "excriptus per Franciscum Hymerum," Cracoviae, 1544.

De metris Horatianis = De generibus metrorum quibus Horatius et Boëthius usi sunt = De Horatii et Boëthii metris = Liber de ratione carminum quibus Horatius et Boëthius usi sunt = Epistola de Horatii Flacci ac Severini Boëthii metrorum diversitate ad Helium Perottum fratrem. 1453.

*Incipit*: "Ex omnibus immortalis dei erga me beneficiis, duo sunt quibus maxime gloriari soleo: unum quod Bessarionem mihi principem, alterum quod te fratrem praestiterit. . . ." Cum autem rem metricam aggreditur: "Dicti igitur lyrici sunt a lyra, quoniam veteres huiusmodi carminum scriptores. . . ."

MSS.: Vaticani Latini 3027, 6526; Vrbin. Lat. 452; Regin. Lat. 786; Magliabecchiani VII.1204, XI.141; Florent. Cl.I.54 (in bibliotheca publica); Raven. Classen. 121; Forolivien. fond. ant. 7 (454); Patavin. Univ. 784; Vindobon. phil. Lat. 324.

ED.: una cum eiusdem libro *De metris*: s.l. [Romae? cf. Mercati, p. 25, n. 2], 1471 (= Hain 12709); Bononiae, 1471 (= Copinger 4692); s.l. & a.

[Romae, 1475] (= Reichling 670); Venetiis, s.a. (= Copinger 4690); s.l. & a. [Venetiis, c. 1476] (= Copinger 4691); Venetiis, 1527; Parisiis, 1544. una cum libro Francisci Mataratii *De componendis versibus hexametro et pentametro*: Venetiis, 1484 (= Hain 10891); Venetiis, 1491 (= H. 10892); Venetiis, 1493 (= H. 10893); Venetiis, 1497 (= H. 10894). una cum Diomedis et aliorum de grammatice libris: Venetiis, 1522. una cum Iohannis Murmelii *Versificatoriae artis rudimentis*, Daventriae, 1515. una cum Horatii poëmatis: Argentinae, 1498 (= H. 8898); Venetiis, 1519; Venetiis, 1527; Parisiis, 1528; Parisiis, 1531; Friburgi Brisgoiae, 1533; Parisiis, 1533; Venetiis, 1536; Parisiis, 1539; Parisiis, 1540; Antverpiae, 1541; Parisiis, 1543; Parisiis, 1544; Venetiis, 1546; Venetiis, 1553; Venetiis, 1559; Venetiis, 1576; Venetiis, 1584.

De metris liber = De generibus metrorum = Ars metrica. 1453.

*Incipit*: "Pes est constitutio metrica syllabarum. . . ."

MSS.: omnes, ni fallor, in quibus epistula *De metris Horatianis*, q.v.; Monac. Lat. 3604; Laurent. Ashburn. 1132 (1061).

ED.: una cum epistula *De metris Horatianis*, q.v.; ad calcem tractatûs qui *Rudimenta grammatices* inscribitur: Parisiis, 1493; Antverpiae, 1493; Parisiis, 1497; Parisiis, 1499; Venetiis, 1542; fortasse in aliis.

> Prooemium ad Iacobum Schioppum.
>
> *Incipit*: "Nihil a te iucundius nobis potuit iniungi quam ut de ratione metrorum conscriberemus. . . ."
>
> MS. (praeter eos quos supra commemoravi): Vat. Lat. 6847.
>
> ED.: in omnibus fere libris in quibus tractatus typis descriptus est.

Elegantiae priores [e libro qui *Rudimenta grammatices* inscribitur depromptae].

*Incipit*: "Differentia inter *diligo*, *colo*, et *amo*. . . ."

MS.: Bonon. (Bibl. Archigin.) A-243.

Elegantiae postpositae [ex eodem libro depromptae].

*Incipit*: "Io ho receputo le tue lettere: Litteras tuas accepi. . . ."

MS.: Bonon. (Bibl. Archigin.) A-243.

Epistola de malo aureo, iuglande, cinamono, casia, fele et mustelis ad Iacobum [Ammanatum], pontificem Papiensem. 1472.

*Incipit*: "Etsi multa erant quae de nostris studiis significare tibi in praesentiam poteram. . . ."

MS.: Vrbin. Lat. 297.

ED. (primam et tertiam epistulae partes): Mercatius, pp. 158-61.

Epistola de Plinii Secundi prooemio ad Antonium Moretum.

Haec eadem est ac epistula ad Guarnerium. Moreti nomen is supposuit qui *Cornucopiae* edidit Venetiis 1490.

Epistola de Plinii Secundi prooemio ad Franciscum Guarnerium = Libellus quo Plinii epistola ad Titum Vespasianum corrigitur = Commentariolus in C. Plinii Secundi prooemium = Adversus eos qui temere corrigunt errores veterum librorum. 1473.

*Incipit*: "Solebam nuper aetati nostrae gratulari, mi Francisce, quasi magnum quoddam ac vere divinum beneficium hac tempestate adepti essemus. . . ."

MS.: Vrbin. Lat. 297.

ED.: (libellus, ni fallor, Perotto vivo primum typis est descriptus; cf. ea quae disseruit Mercatius, p. 90, n. 2) una cum Cornelii Vitelli annotationibus: s.l. & a. [Venetiis, 1480] (= Hain 12708, cf. Reichling); Venetiis, 1513. una cum *Cornucopiae* in omnibus fere eius operis editionibus praeter primam et tertiam.

Rudimenta grammatices = Ars grammatica = Regulae grammaticales = Grammaticae institutiones = Regulae Sipontinae. 1468.

*Incipit*: "Da litteras. A. B. C."

MSS.: Vat. Lat. 6737; Vrbin. Lat. 1175; Piscien. 138 (I.C.4).

ED.: (librum Viterbii anno 1468 typis descriptum tradit Iacobillus, cui parum fido) Romae, 1473 (= Hain 12643); Romae, 1474 (= H. 12644); Romae, 1474 (= Reichling 1025); Romae, 1474 (= R. 1026); s.l. & a. (= H. 12635); s.l. & a. (= H. 12636); s.l. & a. (= H. 12638); s.l. & a. (= H. 12639); Neapoli [1475] (= H. 12642); [Basileae] s.a. (= H. 12640); [Basileae] s.a. (= H. 12641); Patavii, 1475 (= H. 12645); Romae, 1475 (= H. 12646, cf. Laire, *Specimen historicum typographiae Romanae XV. saeculi*, Romae, 1778, p. 223); Romae, 1475 (= H. 12647); Barcinoni, 1475 (v. *Zeitschrift für Bücherfreunde*, N.F. Vol. VII (1915), pp. 178, 183); Venetiis, 1475 (= H. 12648); Neapoli, 1476 (= H. 12649); Romae, 1476 (= H. 12650); Romae, 1476 (= H. 12651); [Coloniae, 1476?] (= Copinger 4677); Tarvisii, 1476 (= H. 12652); Venetiis, 1476 (= H. 12653); [Venetiis] 1476 (= H. 12654); Tortosae, 1477 (= C. 4680); Parisiis, 1477 (= H. 12655); Mediolani, 1478 (= H. 12656); Venetiis, 1478 (= H. 12657); Neapoli, 1478 (= C. 4681); Mediolani, 1478 (= H. 12658); Mediolani, 1478 (= H. 12659); Venetiis, 1478 (= H. 12660); [Bononiae] 1478 (exemplar Lutetiae Parisiorum in bibliotheca civitatis); Parisius [*sic*], 1479 (= H. 12661); Mediolani, 1479 (= R. 1605); Parisius [*sic*], 1479 (= C. 4682); Neapoli, 1479 (= H. 12662); s.l. 1480 (= H. 12663); Neapoli, 1480 (= H. 12664); Mediolani, 1480 (= H. 12665); [Bononiae] 1480 (= R.

1606); Regii, 1480 (= H. 12666); Venetiis, 1480 (= H. 12667); Tusculani, 1480 (= H. 12668); Basileae, 1480 (= H. 12669); Venetiis, 1480 (= C. 4683); Tarvisii, 1482 (= R. 1607); Mediolani, 1483 (= H. 12670); [Argentorati] 1483 (= C. 4678); Neapoli, 1483 (= H. 12671); Venetiis, 1483 (= R. 1608); Lovanii, s.a. (= C. 4676); Venetiis, 1484 (= H. 12672); Parisiis, 1484 (= C. 4684); Venetiis, 1474 [= 1484] (= H. 12673); Utini, 1485 (= H. 12674); [Romae, 1485] (= H. 12637); Florentiae, 1486 (= H. 12675); [Lovanii, c. 1486] (= C. 4679); Venetiis, 1486 (= H. 12676); Vicentiae, 1486 (= H. 12677); [Mediolani] 1487 (= R. 1315); Regii, 1487 (= H. 12678); Parisiis, 1488 (= H. 12679); Venetiis, 1488 (= H. 12680); [Florentiae? c. 1488] (= R. 667); s.l. & a. (= R. 668); Lugduni, 1489 (= H. 12681); Venetiis, 1489 (= R. 1609); Mediolani, 1489 (= C. 4685); Venetiis, 1490 (= R. 1610); [Lugduni, c. 1490] (= R. 1837); Mediolani, 1491 (= R. 1611); Venetiis, 1492 (= H. 12682); Lugduni, 1492 (= C. 4686); Venetiis, 1493 (= H. 12683); Parisiis, 1493 (= H. 12684); Romae, 1493 (= H. 12685); Antverpiae, 1493 (= C. 4688); Venetiis, 1493 (= H. 12686); Venetiis, 1494 (= H. 12687); Venetiis, 1495 (= H. 12688); [Venetiis, c. 1495] (= R. 669); Venetiis, 1496 (= H. 12689); Venetiis, 1497 (= H. 12690); Parisiis, 1497 (= H. 12691); Basileae, 1498 (= C. 4689); Parisiis, 1499 (= H. 12692); Venetiis, 1499 (= H. 12693); Venetiis, 1499 (= H. 12694); Coloniae, 1499 (= H. 12695); Florentiae, s.a. (= H. 12696); Venetiis, 1500 (= C. 4687); Venetiis, 1501; Venetiis, 1505; Tubingae, 1512; Lugduni, 1521; Londini, 1521; Coloniae, 1522; Parisiis, 1531; Parisiis, 1541; Lugduni, 1541; Venetiis, 1542; Florentiae, 1560; Venetiis, 1579.

## IV

### ORATIONES, MORALIA, VARIA

Commentaria rerum suae patriae.

Sic Iacobillus (p. 211), qui ea "manu scripta apud [Perotti] haeredes" adservari tradidit, et Zeno (p. 268), qui de aliquo opere magno haec dici putavit; sunt autem, ni fallor, eadem ac litterae satis breves exilesque quas de re familiari Perottus anno 1479 ad Saxoferratenses (q.v. cap. VI), concives suos, scripsit.

De civitate Bononia et quo modo antiquitus ea vocabatur = De Bononiae origine. 1452.

*Incipit*: "Iohanni Guidotto viro gravi atque praestanti salutem. Potes ex hoc facere coniecturam summi mei erga te amoris. . . ."
MSS.: Bonon. 182; Monac. Lat. 3604.

ED.: Frati, *Miscellanea di studj in onore di A. Hortis*, Tergesti, 1910, pp. 327 sqq.

### De fortuna virtuteve hominum = De hominis fortuna.

Perottum huiusmodi librum scripsisse primum tradidit nescio quis, qui codicem Harleianum 4923 negligenter aspexerat; in eo enim codice ita inscriptam invenies praefationem quam Perottus adiunxit libello quo Plutarchi *De Alexandri Magni fortuna aut virtute* (q.v. cap. I) Latino sermone interpretatus erat.

### De liberis educandis.

De Plutarchi agitur libello quem Guarinus Veronensis Latine reddidit; hic enim in codice Harleiano 4923 proximus est a Perotti "libro De hominis fortuna," de quo modo diximus.

### De puerorum eruditione.

En, mera somnia! Huiusmodi librum Perottum numquam scripsisse arbitror. Calpurnius autem Brixiensis, qui Perottina *Rudimenta grammatices* typis describenda curavit (est mihi in manibus exemplar quod Lutetiae Parisiorum anno 1488 [= Hain 12679] in lucem prodiit), in praefatione "perlecto" inquit "libello, qui a Nicholao Perotto Pontifice Sypont⟨in⟩o, viro eloquentissimo, commode et breviter ad puerorum eruditionem nuper e{ru}ditus, volui . . . quod de hoc sentirem tibi declarare. . . ." Putares neminem umquam fuisse quin haec de eo ipso libro dicta intellegeret; ex his autem fluxerunt verba quae apud recentiores scriptores leguntur, v.g. apud Vghellium, qui in *Italiae sacrae* tomo VII (1721), p. 857, "Perottus" ait "ad puerorum eruditionem commode breviterque libellum edidit perpulchrum." Quod viros doctos diu fugit hunc librum eundem esse ac illa *Rudimenta*, id Conradi Gesneri potissimum culpa accidit, qui in *Bibliotheca* sua, quae Tiguri anno 1583 in lucem prodiit, cum inter Perottina scripta "De puerorum eruditione lib. 1" satis negligenter numeravisset, paulo post et "Rud. Gramm. Lat. [typis scilicet descripta anno] 1541" attulit.

### De virtutibus et vitiis.

Sic Iacobillus (p. 211), scriptor vero parum diligens qui librum vix aspexerat: alioqui intellexisset eum a Perotto non compositum sed e Graeco versum esse. Est enim libellus qui tunc nomini Aristotelis addicebatur. (V. cap. I).

### Elogia illustrium Saxoferratensium.

Sic Fabricius (p. 122), qui oscitans vel potius dormitans haec apud Allatium (p. 246) legerat: "*Torquatus* Perottus . . . mox [sc. post 1633] *edet* Virorum Saxo-ferratensium qui litterarum et armorum gloria . . . clari evasere Vitas et Elogia."

In Georgium Trapezuntium = Refutatio deliramentorum, q.v.

Invectiva in Poggium Florentinum = Oratio in Poggium, q.v.

Monodia in Severi fratris funere. 1472.
MSS.: Vaticani Latini 6835, 8086, 8750, 6526.

Oratio de assumptione Beatae Virginis = Oratio in conventu Mantuano habita. 1459.
MSS.: Vaticani Latini 5860, 6526.

Oratio habita ad Federicum Imperatorem = Oratio de laudibus Federici Imperatoris. 1452.
*Incipit*: "Si qua fides veri. . . ."
MSS.: Bonon. (Bibl. Archigin.) A-314; Monacenses Latini 522, 3589, 5832.
ED.: Albrecht von Eyb in sylloge sive anthologicōn libro qui *Margarita poëtica* inscribitur; [Norimbergae] 1472 (= Hain 6818); s.l. & a. (= H. 6814); s.l. & a. (= H. 6815); s.l. & a. (= H. 6816); Romae, 1475 (= H. 6819); Parisiis [1475] (= H. 6817); Parisiis, 1477 (= H. 6820); Parisiis, 1478 (= H. 6821); s.l., 1480 (= H. 6822); s.l., 1487 (= H. 6823); s.l., 1493 (= H. 6824); Basileae, 1495 (= H. 6825); Basileae, 1503.

Oratio habita in funere Petri [Riarii], Cardinalis Divi Sixti [= Xysti]. 1474.
*Incipit*: "Si quando dolere homini sine reprehensionis. . . ."
MS.: Vat. Lat. 8750.
ED.: locos nonnullos exscripsit Mercatius, pp. 161 sqq.

Oratio in conventu Mantuano habita = Oratio de assumptione Beatae Virginis, q.v.

Oratio in Poggium Florentinum = Invectiva in Poggium. 1454.
*Incipit*: "Quaenam ista tua feritas, Poggi? quae rabies? quae tanta insania est?"
ED.: Barotti in *Miscellanea di varie operette*, Vol. VIII, Venetiis, 1744, pp. 201 sqq.

Orationes XXX.

Saepenumero accidit eis qui opera cuiusvis scriptoris nominatim ac summatim percensere instituerunt, ut alius alium compilantes mythici potius quam historici officio fungantur. Conradus Gesner, cui una tantum oratio a Perotto habita innotuerat, eam in *Bibliotheca* sua (eam dico quae Tiguri anno 1573 typis est descripta) his verbis commemoravit: "Oratio de laudibus Friderici Imp. in susceptione eius a communitate Bononiensi, oratio octava numero ex 30. ab Alberto de Eyb collectis." Sic Gesner et recte quidem, nam Eybius in sylloge sua, quae *Margarita poëtica* inscribitur, triginta Ciceronis aliorumque orationes exscripserat. Gesneri autem verba perverse accepit Iacobus Gaddius, qui Eybii syllogen numquam viderat, itaque in libro suo *De scriptoribus non ecclesiasticis,* qui Lugduni anno 1649 in lucem prodiit, inter Perottina scripta numeravit "Orationes 30. quarum 8. est de laudibus Frider. Imperatoris in susceptione eius a communitate Bononiensi." Hunc secutus Fabricius (p. 123) viros doctos recentiores fefellit.

## Orationes aliae XXIII.

Sic Fabricius (p. 123), quem iure hoc loco incuriae arguere possumus. Is enim, cum e Gaddio, ut supra memoravimus, accepisset Perottum triginta orationes habuisse, quaenam illae essent quaerebat; cum autem, a Gaddio de ea quae est De Federici laudibus, ab Allatio (p. 246) de ea quae "In conventu Mantuano habita" dicitur, certior factus nihil de reliquis resciscere potuisset, in schedis suis adnotavit orationes Perottinas has duas esse et *alias ineditas XXVIII.* Schedas autem, priusquam typographo traderentur, retractare neglexit, itaque, numero typothetae, puto, lapsu in XXIII mutato, recentioribus hoc quoque persuasit, Perottum orationes LIII habuisse scripsisseve.

## Recuperationes Faesulanae.

Sic Fabricius, loc. cit., nescio quo errore falsus; non Perotti enim sed Matthaei Bossi sunt hae *Recuperationes,* quae Bononiae anno 1483 typis descriptae sunt.

## Refutatio deliramentorum Georgii Trapezuntii Cretensis = In Georgium Trapezuntium. 1470.

*Incipit:* "Evomuit tandem Trapezuntius Cretensis conceptum animo virus. . . ."

MSS.: Vaticani Latini 2934 (mancus), 6526, 3399; Marcian. Lat. VI.ccx (olim, ni fallor, Nanian. LI); Bonon. 1546 (2948) = Tioli, *Miscellanee erudite,* Vol. XXIV, pp. 155-89.

ED.: Locos nonnullos exscripserunt Allatius in libro *De Georgiis,* n. L., et Fabricius in prioris *Bibliothecae Graecae* editionis tomo X, pp. 734-36; integrum opus primus edidit Mohler, pp. 341-375.

Vita Bessarionis. ante 1472.

Se Bessarionis " res gestas et vitam paene omnem " memoriae " satis magno volumine " mandasse, ipse Perottus testatus est et in prooemio quod Aristidis *Monodiae* (q.v. cap. I) adiunxit et in *Cornucopiae*, s.v. ' cometa.' Assentimur sane Aloysio Bandinio, qui in commentario *De vita et rebus gestis Bessarionis* (apud Migne, *Patrol. Graec.* Vol. CLI, pp. iii sq.) " Perottus " inquit " de Nicaeni gestis ac moribus commentarium elucubravit, quod in primis dolendum est vel penitus intercidisse vel aliquo in angulo ignotum delitescere." Cf. ea quae apud Mercatium, p. 72, invenies.

## V

### CARMINA

Epigrammata ceterosque versus suos Perottus bis collegit. Notissima est illa *Epitome fabellarum* in qua anno 1474 vel 1475 e vetusto codice, qui tunc temporis penes se erat, postea vero periit, multas Phaedri fabulas exscripsit " saepe versiculos interponens " suos. Hanc *Epitomen*, quae duobus codicibus, Neap. Seg. IV.F.58 et Vrbin. Lat. 368, asservatur, Iannellius e Neapolitano edidit in libro qui *Codex Perottinus* inscribitur; ex Vrbinate nonnulla adiecit Angelus Maius in tertio *Classicorum auctorum* volumine, pp. 280 sqq.; singulos versus ediderunt Mercatius et alii, quos infra nominabimus. Priorem autem syllogen, quae " Liber epigrammatum ad Sigismundum Malatestam " inscribitur, anno 1454 vel paulo post confectam asservat Vat. Lat. 186, e quo versiculos plerosque exscripsit Ludovicus Frati in *Giornale storico della letteratura italiana*, Vol. LIV (1909), pp. 391 sqq.; nonnulla ab eo praetermissa vel perperam exscripta supplevit Mercatius, pp. 26, 28, 32, 33, 37, 38. Versiculos Perottinos summatim percensebimus ordine alphabetico verborum quibus singuli incipiunt; asterisco (*) notabimus eos qui in *Epitome fabellarum*, obelo (†) eos qui in *libro Epigrammatum* inveniri possunt; reliquos codices, ut quisque nobis innotuit, infra commemorabimus.

" Ad cenam propera beatiorem " Ad Iulium Pomponium [Laetum].*
" Altera iam nostro surrexit Delia saeclo? " De Diana et Hectore.*
" Ante fores templi nuper dum forte sederem " De puella longos pedes habente.*

" Atrebatum praesul quod nunc sua retia non fert " De Atrebatum pontifice post mutatam vestem.*

" Atrox, turbidus, insolens, profanus " De milite furibundo.*

" Aurea sunt nobis quae mittis munera, Iuli," Ad Iulium tetrasticon.*

" Bis sex unius nati sunt, Paule, parentis " Ad Paulum Benignum aenigma.*

" Caesaris ante pedes, toto spectante senatu," Aptum verbum pro verbo poni aliquando.*

" Cerne triumphales circum mea tempora lauros " De amore superato.*†

" Cinxisti viridi, Caesar, mea tempora lauro " Ad Caesarem de laurea = Agit gratias Caesari.*†

MSS.: Bonon. (Bibl. Archigin.) A-79; Monacenses Latini 289, 418, 459, 504, 5344, 5395, 15774.

ED.: Albrecht von Eyb, *Margarita poëtica* (editiones enumeravi cap. IV ubi de " Oratione habita ad Federicum Imperatorem " agitur); Vghellius, *Italia sacra,* Vol. VII, p. 857 (sed ultimam carminis partem praetermisit).

" Contrari, indoctis omnibus contrarie " De divitiis et paupertate ad Andream Contrarium.*

ED.: Hervieux, *Les fabulistes latins,* Vol. I, p. 198.

" Conveniunt domino quae scribis munera, Vulpes " Ad Nicolaum Vulpem de adolescente.†

" Cum te omnes Iacobum vocitent, tantum ipse Iacobum " Epigramma ad Iacobum [Schioppum].*†

" Dii tibi, Sancte Pater, dent longos Nestoris annos " Ad Pontificem Maximum.†

" Dulcis amice, redi; nocet haec absentia nobis " = " Dulcis amice, redi, si te promissa precesque " Ad amicum absentem = Epistola.*†

MSS.: Vat. Lat. 6526; Bonon. (Bibl. Archigin.) A-79.

" Ecce, Sypontini iussu tua dona redimus " Anseres ad eum qui ludo calculi victus. . . .*

" Edere dum nostros properabam forte libellos " De libris quos oblaturus erat Summo Pontifici = Ad Nicolaum V. P. M.*†

" Est et idem per seque manens ens semper eodem " Versus Parmenidis de ente finito. (V. cap. I s.n. Parmenidis)

" Est mihi nobilitas generis clarissima. Quid tum? " Omnia in hoc mundo vana esse.*

"Est natale solum nobis Florentia, nomen" Epitaphium Scilli catuli.*

Ἔστι μὲν, υἱὲ, κακῶν πάντῃ πληρέστατα πάντα. De malis vitae humanae ad Pyrrhum.*

"Exiguum, Galeaz, vatis nunc accipe munus" Ad Galeaz Calvum, equitem splendidissimum.†
MS.: Vat. Lat. 3908.

"Exstinctum dulces quidnam me fletis amici" Epitaphium Iulii astrologi.*

"Felices animae quibus per ignem" In personam Pyrrhi filii fratris hendecasyllabos. . . .*

"I nunc et rebus animos extolle secundis" Epitaphium Caesaris.*

"Iacobum cum te omnes" = "Cum te omnes Iacobum"

"Immotum validis iniecta a finibus arcet" Eiusdem [Parmenidis] versus de ente immobili. (V. cap. I s.n. Parmenidis)

"Imperio quamvis subsint mea fata sororum" Epigramma Ptolemaei (V. cap. I s.n. Ptolemaei).

"Impius, immitis, crudelis, perfidus, excors," Ad Pyrrhum Perottum.*†
MS.: Bonon. (Bibl. Archigin.) A-79.

"Inclita castelli quicumque pallatia cernis" De castello ab inclito principe Sigismundo aedificato.†
MS.: Vat. Lat. 6847.

"Ingenio clarus linguaque peritus utraque" Epitaphium Lamolae.†

"Ingenitum quando est, sit et immortale necesse" Melissi versus de primo ente (V. cap. I).

"Invida fata, mihi fidum rapuistis amicum" Epitaphium Iacobi [Schioppi] Veronensis.*
ED.: Hervieux, *Les fabulistes latins*, Vol. I, p. 220.

"Invida me postquam traxerunt fata sub umbras" De equo Iacobi Schioppi defuncto.†

"Ite, mei versus, iam sacrum visite vatem" Ad Nicolaum Vulpem de carmine a se relicto.†

"Laudarunt alii iam te, mitissime princeps," De Sigismundi et Isottae mutuo amore.†
MSS.: Vaticani Latini 6526, 6847.
ED.: Morici, *De' conti Atti*, p. 6, n. 2.

" Meiere Valla cupit nec quit; cupit Anna cacare " De asparagis et lacte.*

" Mortalem vitam perituraque membra dedêre " Epigramma Ptolomaei (v. cap. I).

" Mortales nati mortalem ducimus auram " Epigramma Ptolomaei (v. cap. I).

" Mortalis nemo fugiet decreta sororum " Versus Homeri de immutabili necessitate mortis (v. cap. I).

" Munera Flaminiae quae de regione tulisti " Ad Thadaeum.†

" Nomina cui dederant dulces ab arundine succi " Epitaphium Zucarinae catellae.†
MS.: Bonon. (Bibl. Archigin.) A-79.

" Non, Sismunde, tibi rigor nocebit " Ad Sismundum qui febre vexatus votum Hieronymo fecerat.*

" Non sunt hi mei, quos putas, versiculi " Ad Pyrrhum nepotem prologus.*
ED.: Postgate, Phaedri *Fabulae*, post " Appendicem Perottinam."

" Nunc opus audaci faveas, Parnasia, vati " Laus Pii Pontificis Maximi.*

" O Cyrne, argento longe praefertur et auro " Theognidis versus de fide in seditione servanda (v. cap. I).

" O nimium felix tellus praeclara, Viterbi " Apostropha ad urbem Viterbium.*

" Omnia sunt, Caesar, quae mittitis aurea nobis " Ad Caesarem.†

" Papa Pius longo producat saecula cursu " De Papa Pio distichon.*

" Pascua qui cecini, cecini qui rura ducesque " Epitaphium Virgilii Maronis.*

" Pendentes hîc aquae, cum sint pendentia vina " De Aquapendente oppido.*†
MS.: Bonon. (Bibl. Archigin.) A-79.

" Pierii frater saxo Federicus eodem " Federici Bentivolei fratris epitaphium.*

" Pierius iacet hîc facundi Antonius oris " Epitaphium Pierii Antonii Bentevolei.*

" Prima sedes nobis fecerat Florentia nomen " Epitaphium Scylli catuli.†

" Principio duplicem statuerunt dicere formam " [Parmenidis] versus de elementis rerum (v. cap. I).

" Principis ante fores nuper dum forte sederem " Ad Iacobum.†
" Quam sub rege Pio nulla est felicior aetas " De Pio Pont. Max.*
" Quid agis, ignavum volgus? Quid thura relinquis? " De festo Martini.†
" Quid sis exiguus si quis te forte rogabit " Ad librum suum = Ad libellum.*†
MSS.: Vaticani Latini 3908, 6847.
" Quidnam siderei regnum miramur Olympi " De apparatu aulae regis Alfonsi.*
ED.: Mercatius, p. 46.
" Quinque ego pontifici dederam, Faustine, libellos " Ad Faustinum de quingentis aureis sibi a pontifice maximo donatis.†
ED.: Mercatius, p. 37.
" Ridiculam, quaeso, mihi nunc expone fabellam " Epigramma ad Iacobum Schioppum de festo Martini.†
" Saepe malus dives, saepe et pauperrima virtus " Versus Solonis de divitiis et virtute (v. cap. I).
" Saepius a nobis quaesisti distichon unum " De eodem coco [ignavissimo].*
" Si cupis aestivae vitare pericula flammae " Ad Argentinum.*
" Si fletu redimi vitam natura dedisset " Epitaphium Lamolae.†
" Si qua mihi laus est, si quid nunc, Musa, probamur " Ad Musam praeceptoris sui [Nicolai Vulpis].
ED.: Angiolgabriello di Santa Maria, *Biblioteca e storia*, etc., Vol. II (Vicetae, 1772), p. cxix; *Miscellanea di varie operette*, Vol. VIII (Venetiis, 1744), pp. 183 sq.
" Sicanius fuit hic Romano carmine vates " Epitaphium Virgilii ab eodem [Nicolao Perotto] compositum.*
" Sim licet, heu, primo fraudatus flore iuventae " Epitaphium pro se cum aeger esset [anno 1450?].†
ED.: Mercatius, p. 33.
" Sintne futura diu patriaeque datura salutem " Oraculum Apollinis de Isthmo e Graeco in Latinum conversum (v. cap. I).
" Sis licet immitis diraque e tigride natus " Ad amicum.†
" Socrates exiguas aedes dum forte pararet " Quanta sit verorum amicorum penuria [e Phaed. III, 9].*
" Sol genuit terris Epidaurion atque Platona " [Diogenis Laërtii] Epitaphium Platonis (v. cap. I).
" Summa coronide ceterisque et dona Lyaei " Ad Thadaeum.†

" Sunt duo qui subigunt, duo sunt, Theodore, subacti " Iocus ad Theodorum.* †

" Talia quid semper sint nobis pocula quaeris " De coco ignavissimo ad amicum.*

" Tinxerat abdomen nuper Paulina veneno " Quam gravia mala saepenumero casu eveniant.*

" Vincis carminibus, vincis me, Brigida, donis " Ad Brigidam iurisconsultum.*

" Virginis insano Gallus correptus amore " De Gallo Aethiope, servo Pyrrhi Perotti, cum puella deprehenso.*
MS.: Bonon. (Bibl. Archigin.) A-79.

" Virtuti incumbe, et virtutem amplectere solam " De virtute ad Lentulum.*†
MS.: Bonon. (Bibl. Archigin.) A-79.

" Vnum oculis, alium pedibus natura carentem " De caeco claudum gestante = Ingenio aliquando superari naturam.*†

" Vos doctos decet atque eruditos viros " De vero deo et vera fide ad Pomponium [Laetum].*

" Vrbem Sentinam veteres dixêre Latini " De Saxoferrato.*†
MS.: Bonon. (Bibl. Archigin.) A-79.
ED.: Mercatius, p. 104.

## VI

### EPISTVLAE

Epistulas quas ad familiares dederat Perottus numquam collegisse videtur; ideo fortasse ex iis paucae admodum ad nos pervenerunt, quas infra summatim percensebimus ordine nominum eorum ad quos datae sunt. Epistulas vero quas multas in Dominicum Calderinum scripsit, quîcum acerbissimis conviciis contumeliisque contendebat, et singulas quantum potuit evulgavit et omnes ipse in duo volumina satis magna, quae *Epistulae Romanae* et *Epistulae Perusinae* inscripta sunt, collegit, opera vel potius nomine usus Titi Manni Veltri—si quidem is homo potius quam ipsius Perotti κοῦφον προσωπεῖον est habendus. De his epistulis, quae omnes, praeter unam ad Pomponium Laetum datam, prorsus periisse videntur, vide, sis, quae disseruerunt et ipse Perottus sub Pyrrhi, fratris fili, nomine in *Cornûscopiae* praefatione et Maturantius apud Mercatium, p. 102.

ACERBVS, Antonius.
1475-76. *Incipit*: "Tertio Nonas Octobris, dum e Fano Fortunae ad Sentinates meos. . . ."
ED.: Vermiglioli, *Memorie di Jacopo Antiquarj*, Perusiae, 1813, pp. 314 sq.

ALPHONSVS, Rex Aragonum, &c.
1456, a.d. VI (?) Id. Iun. Epistola sacratissimi Cardinalium collegii a Nicolao Perotto secretario Apostolico composita.
*Incipit*: "Difficile nobis foret litteris exponere. . . ."
MSS.: Vaticani Latini 6847, 6526.
ED.: Mercatius, pp. 148 sqq.

AMMANATVS, Iacobus (Cardinalis Papiensis)
1472– *Incipit*: "Timotheum ferunt Athenarum principem, cum aliquando apud Platonem cenasset. . . ."
MS.: Vrbin. Lat. 297.
1472– Epistola de malo aureo etc. (v. cap. III).

BESSARIO, Ioannes (Cardinalis Nicaenus)
1469, prid. Id. Nov. Epistola ad Bessarionem in laudem eius libri, qui *Defensio Platonis* inscribitur.
*Incipit*: "En, tibi remitto divinum opus tuum. . . ."
MSS.: Vaticani Latini 2934, 3399, 6526; Barb. Lat. XVI.85; Marcian. Lat. VI.ccx (olim, ni fallor, Nanian. LI); Marcian. Lat. X.xii.
ED.: F. B. Malvasia, *Compendio historico della Basilica de' SS. XII Apostoli*, Romae, 1665, pp. 210-17; Mohler, pp. 594-97.

BONCONTIS (Federici, Vrbini ducis, filius spurius).
1456– *Incipit*: "Vellem libenter ita ad te posse scribere ut nullatenus. . . ."
MSS.: Vaticani Latini 6847, 6526.
ED.: Mercatius, pp. 150 sqq.

Buonconte di Montefeltro = Boncontis

Brendi, Battista = Baptista Brennius.

de Bremiis, Baptista = Brennius.

BRENNIVS, Baptista
1453, a.d. VI Id. Sept. *Incipit*: "Scripsi ad te octavo Kal. Septembris quod in re canonicorum. . . ."
MS.: Vat. Lat. 3908.
ED.: R. Cessi, *Giornale storico della letteratura italiana*, Vol. LX (1912), pp. 81 sqq.

CONSTANTIVS, Iacobus.
1454, men. Ian. (de anno vide, sis, ea quae Mercatius, vir harum rerum peritissimus, disputavit, pp. 24 sqq.). Epistola de ratione studiorum suorum.
*Incipit*: "Decrevi posthac omnes non solum actiones, verum etiam cogitationes. . . ."
MSS.: Vaticani Latini 3027, 6526; Vrbin. Lat. 297; Regin. Lat. 786; Riccard. 907 (N.III.16); Magliab. XXVIII.51; Senen. 71 (K.VI.70); Patavin. (Univ.) 784; Vindobon. phil. Lat. 324.
ED.: Maius in *Classicorum auctorum* tom. III, p. 306.

Costanzi da Fano = Iacobus Constantius.

DIONYSIVS Veronensis.
*Incipit*: "Legi versiculos tuos, Dionysi, elegantes, politos et tersos. . . ."
MSS.: Neap. Seg. IV.F.58; Vrbin. Lat. 368.
ED.: Iannellius, p. 258.

Filelfo = Franciscus Philelphus.

Giustinian = Iustinianus

Gonfalonerio *et al.* di Sassoferrato, v. Saxoferratenses.

GVARNERIVS, Franciscus.
1473– Epistola de Plinii Secundi prooemio (v. cap. III).

GVIDOTIVS, Ioannes
1453– De civitate Bononia (v. cap. IV).

Ioannes Arretinus = Tortellius.

IVSTINIANVS, Franciscus
1470– *Incipit*: "Rettulit mihi hodie insignis Nicolaus Alexandri Sfortiae legatus. . . ."
MS.: Marcian. Lat. VI.ccx.

LAETVS, Iulius Pomponius.

1473– In Dominicum Calderinum. *Incipit*: "'Ride, si sapis,' O Pomponi, 'ride.' Quis enim. . . ."

MS.: Ambros. B.131 sup.

ED.: R. Sabbadini, *Studî italiani*, Vol. XI (1903), pp. 337 sqq.; idem, *Classici e umanisti*, pp. 59 sqq.

Mannus, Titus = Veltrius.

MAPHAEVS, Timotheus.

1452, Id. Apr.

MS.: Veron. (Bibl. publ.) 761 (1357).

MEDICES, Antonius.

1468, a.d. XIII Kal. Aug. *Incipit*: "Reverende pater minister. Intellexi quantam humanitatem et liberalitatem. . . ."

MS.: Archiv. Florent., Carteggio Mediceo, IV.399.

ED.: Mercatius, p. 61.

NICOLAVS V. P. M.

Praeter praefationes quas Perottus eis adiunxit libris quos Latine reddiderat (q.v. cap. I), nulla ad nos pervenit eius epistula Nicolao scripta. Quam vero Müntz et Fabre in libro qui inscribitur *La bibliothèque du Vatican au XVe siècle*, pp. 113 sqq., publici iuris fecerunt virique docti eos secuti Perotti nomini addixerunt, eam non Perottus sed iuvenis nescio quis Trapezunte ad Nicolaum dedit. Errorem detegit Mercatius, p. 42.

PAVLVS II. P. M.

1469, men. Sept. *Incipit*: "Non possum non admirari magnitudinem animi tui, Paule. . . ."

MS.: Vat. Lat. 8090.

PEROTTVS, Helius (Nicolai frater).

c. 1450? *Incipit*: "Difficilem sane rem ac perobscuram a me petis. . . ."

MSS.: Vaticani Latini 6847, 6526; Riccard. 907; Senen. 71 (K.VI.70); Magliab. XXVIII.51.

c. 1450? *Incipit*: "Quod de me nescio quem clanculum maledicere. . . ."

MSS.: Vaticani Latini 6847, 6526, Riccard. 907; Senen. 71 (K.VI.70); Magliab. XXVIII.51.

ED.: Mercatius, p. 147.

c. 1452? *Incipit*: "Litterae tuae uno tempore et lacrimas mihi excusserunt et. . . ."

MSS.: Riccard. 907 (N. III. 16); Senen. 71 (K.VI.70); Magliab. XXVIII.51.

ED.: Mercatius, pp. 147 sq.

PEROTTVS, Ioannes (Nicolai frater).

1476, a.d. XI Kal. Feb. *Incipit*: "Salvus sis. Ho recevuto le ostreghe le quale tu me hai mandato. . . ."

MS.: Vat. Lat. 4104.

ED.: Mercatius, pp. 116 sq.

PHILELPHVS, Franciscus.

Perierunt, ni fallor, binae litterae a nostro ad Philelphum datae, quibus ille rescripsit a.d. XVII Kal. Ian. 1463 et a.d. VII Kal. Feb. 1464.

QVIRINVS, Thadaeus.

——— *Incipit*: "Expertus sum tecum maxime verum esse id quod. . . ."

MS.: Bernen. 527.

——— *Incipit*: "Vrbi florentissimae Venetarum [?]. . . ."

MS.: Bernen. 527.

SAXOFERRATENSES.

1479– *Incipit*: "Ho veduto quanto le VV. SS. mi scrivono del voler per pace della patria. . . ."

MS.: Vat. Lat. 6848.

ED.: Iohannes Amadutius, *Anecdota litteraria ex mss. codicibus eruta*, Vol. I (Romae, 1773), pp. 392 sqq.; Zeno, pp. 258 sqq.

SCHIOPPVS Veronensis, Iacobus

1453– *Incipit*: "Nihil a te iucundius nobis. . . ." = Prooemium in librum *De metris* (q.v. cap. III).

1454?, a.d. III Non. Mar. *Incipit*: "Petit a me nuper quidam utriusque nostrum familiaris. . . ."

MSS.: Vat. Lat. 6847; Vrbin. Lat. 297; Riccard. 907 (N.III.16); Senen. 71 (K.VI.70).

SIXTVS IV. P. M. Epistulae sex, viz.:

1475, a.d. XI Kal. Nov. *Incipit*: "Scripsi per alias S. V. quod quam primum. . . ."

1475, a.d. V Kal. Nov. *Incipit*: "Hodie quae est xxviii. mensis accepi litteras. . . ."

1476, a.d. VIII Kal. Mai. *Incipit*: "Deo omnipotenti laus et gloria haec omnia. . . ."

1476, a.d. XIX Kal. Sept. *Incipit*: "Miram mihi consolationem attulerunt. . . ."

1477, a.d. X Kal. Feb. *Incipit*: "Rogaverunt me aliqui cives ex principalioribus civitatis. . . ."

1477, a.d. III Kal. Feb. *Incipit*: "Rediit tandem nuntius qui iverat. . . ."

MS.: Marcian. Lat. X.clxxiv.

ED.: Cessi, *Giornale storico della letteratura italiana*, Vol. LX (1912), pp. 102 sqq.

TORTELLIVS Arretinus, Ioannes.

1450, prid. Kal. Dec. *Incipit*: "Non possum ad te scribere quantam mihi voluptatem. . . ."

MS.: Vat. Lat. 3908.

ED.: Cessi, *Giornale storico della letteratura italiana*, Vol. LX (1912), pp. 73 sqq.; ego supra, p. 35.

1451, a.d. III Kal. Iul. *Incipit*: "Non putavi esse necessarium ut ea ad te scriberem. . . ."

MS.: Vat. Lat. 3908.

ED.: Cessi, loc. cit., ego supra, p. 37.

1452, a.d. III Kal. Mar. *Incipit*: "Non scribo ad te aliquid de statu mearum rerum. . . ."

MS.: Vat. Lat. 3908.

ED.: Cessi, loc. cit.; cf. Mercatium, p. 33, n. 2.

1452, a.d. VIII Id. Iun. *Incipit*: "Accepi litteras tuas unas dumtaxat ex quibus intellexi. . . ."

MS.: Vat. Lat. 3908.

ED.: Cessi, loc. cit.; Wilmanns et Bertalot, *Archiv. Rom.*, Vol. VII (1923), pp. 508 sq.; cf. Mercatium, p. 35.

1453, Id. Nov. *Incipit*: "Tertium librum Polybii iam usque a mense Septembris absolvi. . . ."

MSS.: Vat. Lat. 9069; Vat. Lat. 6526.

ED.: Mercatius, pp. 23 sq.

1453, Non. Dec. *Incipit*: "Haud obscurum est quantum bonis artibus. . . ."

MS.: Vat. Lat. 3908.
ED.: Cessi, loc. cit.

1454, a.d. VII Id. Ian. *Incipit*: "Si quantum debeo vestrae erga me humanitati et clementiae. . . ."
MS.: Vat. Lat. 3908.
ED.: Cessi, loc. cit.; cf. Mercatium, pp. 39 sq.

TROIANVS, Bartholomaeus
1453. *Incipit*: "Hodie forte inter versandum nonnullos libellos. . . ."
MSS.: Vaticani Latini 3027, 3869, 6526; Regin. Lat. 786; Oliver. 1958; Patavin. (Bibl. del Semin.) 92; Perusin. 740 (I.134); Senen. 71 (K.VI.70); Vindobon. phil. Lat. 324.

VALERIVS Ro[manus?]
c. 1453? *Incipit*: "Gratulor huic aetati qua multa eruditissima ingenia. . . ."
MS.: Vat. Lat. 1808; cf. Mercatium, p. 40.

VALLA, Laurentius.
1449. *Incipit*: "Quotiens ad te scribo maximam capio voluptatem. . . ."
MS.: Laurent. XC.65 sup.
ED.: Barozzi et Sabbadini, *Studî sul Panormita e sul Valla*, Florentiae, 1891, pp. 123 sqq.

1451. *Incipit*: "Nudius quartus redeuntibus nobis e Campania. . . ."
MS.: Laurent. XC.65 sup.
ED.: Barozzi et Sabbadini, *op. cit.*, pp. 130 sq.

VELTRIVS Viterbiensis, Titus Mannus
1474-75. *Incipit*: "Quod post epistolas nostras, quas tanto studio collegisti, versiculos etiam nostros collegeris. . . ."
MSS.: Neap. Seg. IV.F.58; Vrbin. Lat. 368.
ED.: Iannellius, pp. 247 sq.; Maius in *Classicorum auctorum* tom. III, pp. 280 sq.

VESPASIANVS.
1453, Id. Aug. *Incipit*: "Egregie tamquam frater carissime. Perchè dite non havere avuta la lettera del cambio. . . ."
ED.: L. Frati in Vespasiano da Bisticci, *Vite di uomini illustri*, Vol. III, Bononiae, 1893, pp. 340 sq.

**1454,** a.d. XV Kal. Nov. *Incipit*: " Egregie tamquam frater. Ho ricevuta vostra lettera, et inteso quanto scrivete. . . ."

ED.: Bandinius in *Catalogi codicum mss. Bibliothecae Mediceae Laurentianae* tomo V (Florentiae, 1778), p. 365; Frati, loc. cit.

VITERBIENSIS SENATVS.

c. **1466?** *Incipit*: " Etsi eam esse animi vestri moderationem praestantiamque intelligo, ut nullis egea{m}⟨t⟩ monitionibus nostris. . . ."

MS.: Laurent. inter codices " pecunia vel munere illatos " 82.

Praeterea invenies " epistolas quasdam " Perottianas in codice Oliveriano 1958, " epistolas varias " in codice 43 bibliothecae quae est in vico qui dicitur *Savignano di Romagna.*